LETTRE LETTRE LETTRE
LETTRE

le
11
juillet
1989

Hôtel Styx
à l'extrême attention de
Marc Boulianne
le jour des "certifiés"
merci pour l'accueil
j'arrive
la vie dans l'âme
inespérément

et Tybalt, le chat

Urania nous aime

Yves Navarre

Hôtel Styx

ROMAN

Albin Michel

© Éditions Albin Michel S.A., 1989
22, rue Huyghens, 75014 Paris

ISBN 2-226-03520-6

Tout ce qui nous touche de près est la seule matière d'art.

Jacques CHARDONNE

1.

La nouvelle cliente de l'hôtel se présenta, « je m'appelle Dora. J'ai trente-sept ans. J'ai vécu dix-sept ans avec Karl. Je n'ai connu que lui. À vingt ans, je ne savais rien de la vie. Karl est banquier, fils de banquier. Un homme idéal, beau, sa beauté, ses grains de beauté, ses défauts, l'odeur de sa peau notamment quand il rentrait de l'escalade, d'une période militaire, du ski ou de l'aviron. Il ne faut pas faire de commentaires, m'a-t-on dit, je suis heureuse d'être parmi vous. Karl et moi n'avons pas eu d'enfant. Je suis née à Naples, de père argentin et de mère roumaine. Je ne voulais pas avoir d'enfant à Zurich. Ce n'est pas une ville pour des enfants. Les années ont passé. Je me suis un peu fanée. Karl a découvert une autre femme. Elle est jeune comme je le fus. Il y a trois semaines, il m'a annoncé qu'il partait pour le Brésil, des affaires, des contrats. Il me donnait trop de précisions. Il partait donc avec elle. J'ai fait l'amoureuse de toujours. Je l'ai laissé partir avant-hier au matin, sans le questionner. Je ne sais plus qui m'a donné l'adresse de cet hôtel. Me voici. Sitôt

Karl parti, j'ai fait ma valise, mes robes préfé-
rées, mes vêtements les plus doux, deux ou trois
objets de mon enfance, quelques bijoux si cela
est nécessaire et, avant de quitter la maison,
m'étant assurée que la femme de ménage ne
viendrait pas en mon absence, j'ai décroché le
téléphone, j'ai composé le numéro de l'horloge
parlante de Tokyo et j'ai laissé le téléphone
décroché. Quand Karl reviendra, il raccrochera
le téléphone instinctivement, un mois plus tard
il paiera la note. Je n'ai connu que lui, vous
comprenez ?» « Nous comprenons, dit Madame, cela suffit pour les présentations. » Madame donna le signal du petit déjeuner.

« Au début, expliqua Madame à Dora en la
conduisant à sa chambre, nous assurions le service individuel de restauration. Mais chacun restait à sa table. Chacun guettait l'autre. J'ai vite
opté pour la table d'hôte. Je veille chaque jour
au plan de table. » Un long couloir au premier
étage. Des lucarnes à droite, des portes numéro-
tées à gauche et, à chaque extrémité, des issues
de secours flanquées d'extincteurs, taches rouge
vif, moquette bleue, épaisse, à chaque pas
comme un soupir étouffé et un lointain grince-
ment de parquet. Rien de vraiment signalé.
Madame dit « toutes les chambres donnent sur
la mer. Avec balcon. Été comme hiver, la mer
est belle. L'air est bon ».

Dans la chambre, Dora remarqua qu'il n'y avait pas de miroir appliqué au mur, comme à l'ordinaire, au-dessus du bureau qui servait de coiffeuse. C'était très bien ainsi. Elle arrivait avec l'idée d'écrire quelques lettres pour le plaisir de l'adieu, un plaisir qu'elle jugeait suspect tant elle se sentait déjà hors du monde, loin du monde. Elle n'aurait pas à se regarder en écrivant. En voyage, dans les hôtels, le miroir avait une signification quand elle devait se maquiller, se préparer, veiller à elle savait trop quelle beauté pour Karl et Karl uniquement. Ce fut la première chose dont elle se réjouit. Il n'y avait pas non plus de papier à fleurs, l'habituelle *vilaine* lithographie au-dessus du lit, les dépliants bariolés du syndicat d'initiative de la région, trois fleurs tristes dans un vase. La salle de bains était vaste et claire. Où était-elle ? Qui avait dormi là, la nuit d'avant ? Déjà tout était propre et net.

« Nous ne prévenons jamais du jour du départ, dit Madame en ouvrant la porte-fenêtre, et il ne faut pas poser de questions. » « Je le sais », répondit Dora.

Madame était sans âge, un peu forte, les cheveux blancs, des mains fines et des yeux bleus, regard transparent. Elle parlait distinctement. Elle avait comme un accent étranger, un accent de l'Est, que le temps aurait lissé, quasiment effacé. Cela donnait du charme et du carré à ce qu'elle disait. « Vous n'avez prévenu personne ? » « Personne. » « Vous avez payé l'aiguilleur ? » « Il a l'argent. » « Alors oubliez tout, ce sera la douceur. » Madame prononçait le mot *douceur* en roulant légèrement le *r*, une dureté. « Vous pouvez lire le règlement de l'hôtel, mais il n'est plus vraiment valable. Quand on a pris une décision, les règlements n'ont pas d'importance. Ou seulement, pour le confort des suivants. Pour qu'ils puissent venir comme vous êtes venue. Merci de le lire quand même. Bienvenue. Vous vous ferez des amis. Vous ne pouvez plus repartir, vous le savez ? » « Je le sais. » Madame quitta la chambre. Dora posa la valise sur le lit, prit le règlement et sortit sur la terrasse.

Pour joindre l'aiguilleur, elle avait appelé le numéro qu'elle gardait depuis des années dans son carnet, sans aucune mention. Sa décision était donc prise depuis longtemps. De qui tenait-elle ce numéro ? Alma, Marie, sa mère Nadja, Antoinette quand elle lui avait rendu visite à l'hôpital, Virginie quand Joseph l'avait quittée, Helyett, Suzanne, Jacqueline, Lola ? Un répondeur automatique, une voix d'homme, la voix disait que le message pouvait être « relevé à distance ». Une heure plus tard, l'homme avait rappelé, de loin. Londres, Berlin ou Amsterdam, elle le devina à la petite musique en cliquetis quand elle décrocha. L'homme appelait-il de plus loin encore ? L'interrogatoire avait été bref. Dora avait expliqué sa décision froidement, rendez-vous avait été pris en gare de Genève, un peu avant minuit. « J'aurai votre billet, avait dit l'homme, il y a une place libre pour vous. » Elle avait pris le train qui venait de Vienne. On l'attendrait à l'arrivée. On la transporterait au petit jour, cinq à six heures de trajet. Elle ne devait pas savoir l'adresse. Un homme l'attendrait *pour le transport*, un homme avec une écharpe bleue et une pancarte avec son prénom. L'aiguilleur avait compté les billets de banque un à un. Il avait dit « nous prenons aussi des gens gratuitement. C'est selon ». Pour Dora, ce voyage n'avait pas de prix. Karl, lui, paierait la note de téléphone. Elle s'était dit « chacun doit à l'autre ce qu'il n'a pas su recevoir ».

Elle était là, enfin là, sur la terrasse. Elle lut le règlement. Hôtel Styx. *La direction de l'hôtel Styx vous souhaite la bienvenue et vous prie de bien vouloir prendre en considération les consignes de sécurité dont le respect s'impose pendant votre séjour parmi nous. Merci.* Puis une double page intérieure avec, à gauche et en lettres capitales, *JAMAIS*; à droite, dans le même caractère *TOUJOURS*. Dora regarda la pelouse en contrebas, des bancs, une allée médiane, une tonnelle, un muret, une haie de troènes taillée de manière rectiligne, impeccable, irréprochable, un soin exquis ; elle regarda le bord de la falaise, la mer

13

argentée, striée de vagues écumantes. Le ciel était nimbé. L'air embaumait. Elle respira profondément. Le sentiment de ne plus savoir où elle était et, en regard de ce sentiment, celui d'avoir toujours trop su où elle se trouvait, où elle en était, lui plut. Elle poursuivit sa lecture, plaisir presque enfantin. *JAMAIS : 1) ne jamais laisser au vu bijoux, objets de valeur ou argent dans sa chambre ; 2) ne jamais inviter des étrangers dans sa chambre, ni confier le numéro de celle-ci ; 3) ne jamais autoriser l'entrée de sa chambre à des ouvriers ou réparateurs si on ne l'a pas demandé ou si la Direction de l'hôtel n'a pas prévenu ; 4) interdire l'entrée de sa chambre à des personnes chargées d'un service non demandé ; 5) en cas d'établissement de rapports avec des personnes inconnues ne jamais révéler le nom de son hôtel ni le numéro de sa chambre ; 6) ne jamais parler de projets spécifiques ou de futures éventuelles excursions en public ou en présence d'étrangers ; 7) ne jamais quitter l'hôtel avec la clé de sa chambre ni la montrer dans des lieux publics.* Dora sourit, rentra dans la chambre, s'assit sur le lit, à la fois ébahie et ravie. Elle poursuivit, *TOUJOURS : 1) surveillez toujours vos bagages. Ne les quittez pas des yeux, ne serait-ce qu'une minute ; 2) déposez vos objets de valeur au coffre de l'hôtel, le plus tôt sera le mieux. L'hôtel n'est pas responsable des objets de valeur qui n'auront pas été mis en dépôt ; 3) fermez toujours la porte de votre chambre en sortant. Essayez du même geste de l'ouvrir afin de vous*

14

assurer qu'elle soit bien loquetée, même si c'est pour un temps très court; 4) maintenez toujours la porte close de l'intérieur quand vous êtes dans la chambre; 5) fermez toujours vos valises après les avoir vidées et rangez-les au fond du grand placard. Si vos valises ont une serrure, fermez-la également; 6) protégez toujours votre clé. Assurez-vous bien de la remettre en main propre au responsable d'accueil. Ne la laissez jamais traîner sur le comptoir; 7) prévenez toujours et immédiatement la Direction si des faits étranges se produisent comme des personnes suspectes croisées dans le couloir, des inconnus qui frappent à votre chambre, ou encore personne à la porte si vous ouvrez; 8) par mesure de sécurité, la Direction de l'hôtel vous demande de bien éteindre cigarettes et cigares avant de vous coucher.

Dora hausse les épaules, un frisson, étrange ce règlement que d'autres ont palpé avant elle et que Madame ne juge plus valable. Elle le glisse dans le tiroir de la table de chevet où se trouve déjà une bible, *Holy Bible*, en anglais ? Dora ne veut pas avoir peur. Elle se dit, pour l'amusement, qu'elle n'a jamais songé à fermer ses valises vides par peur d'un voleur et qu'il y a eu de l'insouciance entre Karl et elle. Ce n'est pas vraiment à cause de Karl qu'elle a décidé ce séjour sans retour, mais pour des raisons qu'elle tait à elle-même et dont elle ne veut pas connaître la nature, encore moins la formulation. Peut-

15

être le souvenir d'étés heureux, au bord de l'Adriatique, émerveillée qu'elle était du couple que formaient Nadja et Jorge, ses parents; l'odeur des buis fraîchement coupés; les allées de la Villa Picino; ni frère ni sœur; le ballet des voiliers et des bateaux à vapeur; le mutisme de ses poupées; une solitude comme un isolement à perpétuité. Une perpétuité de temps passé à attendre. Quoi, quoi d'autre? Non, elle ne veut plus rien nommer de tout cela.

Elle se lève, ouvre sa valise, suspend et range ses vêtements, place les quelques objets qu'elle a emportés, deux livres de contes et légendes, une photo de Karl devant le chalet de leurs week-ends, son carnet d'adresses, son stylo, des cartouches d'encre bleue, une broche, un collier, une bague, la bague de Nadja: elle laissera le tout à vu. La valise n'a que des sangles. Elle se dit qu'elle n'a plus rien à perdre. À Zurich, le téléphone décroché donne continuellement l'heure de Tokyo.

2.

« Un jour de plus », murmura Julien. L'inconnue ne répondit pas. Quel âge avait-elle ? Cinquante ans ? Le matin de son arrivée, trois jours auparavant, pour les présentations, au petit déjeuner, elle avait annoncé « mon désir est de ne rien dire ». Elle avait ajouté « on m'a toujours trop interrogée, vous comprenez ? » Elle avait baissé les yeux devant les autres clients. Elle en disait déjà trop. Elle s'était tue. Julien s'était juré d'en savoir plus.

Il s'est assis près d'elle, sous la tonnelle. Elle regarde fixement la pelouse. Cette fixité n'est pas maladive. L'aiguilleur n'accepterait-il que des personnes simplement décidées, volontaires certes, mais surtout pas en crise, les seules raisons valables n'étant pas explicables ? On disait de l'aiguilleur qu'il était le mari de Madame, que Caron, le portier, était leur fils et que l'homme à l'écharpe bleue était le frère de l'aiguilleur. Une affaire de famille. Cela faisait déjà beaucoup de monde pour un secret. Mais qui nettoyait les chambres pendant le petit déjeuner ? Il était alors interdit, une recommandation, disait Madame en roulant le *r*, de monter à l'étage. Le petit déjeuner était toujours servi, tout à portée de la main, le pain grillé, les brioches tièdes, les confitures, le lait au goût de lait, le café noir, les thés subtils, le beurre au goût de beurre, les fruits de saison et les fruits secs. Julien regarda l'hôtel, navire blanc échoué au sommet de la falaise. Caron tondrait la pelouse en fin d'après-midi, juste avant les averses quotidiennes venues de la mer, et le soleil jetait parfois, çi et là, ses rais pendant qu'il pleuvait. Julien s'est assis à côté de l'inconnue, « je peux ? » Elle n'a pas répondu. Elle lui rappelle sa mère. Julien a vingt ans. Il dit « tiens, la nouvelle venue, Dora n'est-ce pas, est sur la terrasse, elle lit le règlement », puis « regardez, elle rentre dans sa chambre » et « elle a la 9. C'était celle de Jonathan, hier ». Il répéta « hier ». L'inconnue murmura « vous, ici ? Vous êtes si jeune ». Ce n'était plus la même voix effrayée et certaine qu'au petit déjeuner de son arrivée. Julien se mit à parler.

« Les gens qui souffrent ouvertement, l'aiguilleur n'en veut pas. Ce ne sont pas de bons passagers », m'a-t-il dit. Il alluma une cigarette, « en principe Madame n'en vend pas. Mais Jonathan m'a dit que Caron en avait. De toutes les façons, je n'ai pas d'argent. Je suis ici à l'œil. J'ai rencontré l'aiguilleur trois fois avant qu'il m'accepte.

Ce n'est pas facile de le convaincre. Pourtant, il y a de nouveaux arrivés chaque matin. Là je fume le paquet que Jonathan m'a donné hier. Faut croire qu'il savait. Les pressentiments sont plus sûrs que les sentiments, pas vrai ? La veille de mon départ, mon père m'a dit qu'il m'aimait. Comme ça, je t'aime. C'est toujours trop tôt pour bien faire ». Julien secoua la tête. L'inconnue le regarda, étonnée. Il se pencha et, les coudes sur les genoux, fixant sa cigarette, d'un air presque gai, il poursuivit « je suis le dernier de trois, il n'y a pas de quoi en faire un drame. Ma mère est morte, j'avais dix ans, il n'y a pas non plus de quoi en faire un drame. J'écrivais des poèmes, et tout se trame sans drame, je l'ai souvent écrit. Je réussissais mes études. J'avais de l'argent de poche pour aller au cinéma. Il y a eu Juliette, Catherine, Roberte qui se faisait appeler Célia, et Jonathan la nuit dernière. Il ne disait rien non plus. Il avait le corps couvert de plaques. Le visage seul était intact. Je lui faisais plaisir. Et il m'a fait prendre mon plaisir. Je fermais les yeux. Je pensais à Célia, la plus experte. J'ai eu du plaisir aussi. J'ai quitté sa chambre un peu avant minuit. Ce matin, au petit déjeuner, quand j'ai vu Dora à sa place, j'ai eu un choc. Pour la première fois de ma vie, quelqu'un d'autre que ma mère me manquait. Et j'aurais eu envie de partir si ç'avait été un drame. Les autres poètes ont tout écrit. Mieux que moi. Toujours mieux. Ça ne se décide pas, de basculer derrière la ligne d'horizon. Je suis arrivé sans bagages. Ma chemise était sale. Madame a fait déposer les chemises de Jonathan dans ma chambre. Ça, c'est une chemise de lui».

Julien écrasa la cigarette par terre, ramassa le mégot et alla le jeter dans la haie de troènes. L'inconnue se leva, s'approcha de lui et le prit par le bras. Ils se dirigèrent vers la mer au-delà de la haie et du muret. Lequel des deux entraînait l'autre? Et il ne fallait pas aller trop loin. Madame surveillait. Ou bien Caron.

Dans ses rêves, depuis dix ans, il partait souvent avec elle, sa mère, en promenade. Rusé, il s'était bien gardé d'en parler à l'aiguilleur afin de ne pas l'effrayer. Ce n'était pas un homme à obsessions. Julien était déterminé et il lui avait fallu trois séances pour se fondre au modèle souhaité et, en plus, se faire inviter. C'était devenu urgent. Il n'avait plus aucun rêve sans elle, il lui donnait la main tel un enfant, ou lui prenait le bras tel un jeune gosse qui a grandi trop vite. Il ne grandirait plus. Il vivait chaque rêve avec elle, chaque nuit, comme une réalité et une certitude. Sur le dos, sur le ventre, sur le dos à nouveau, le drap du dessus s'entortillait, l'oreiller tombait du lit, il se réveillait, s'intimait en songe l'ordre de l'éveil et avait alors à se rappeler, se convaincre et admettre une fois de plus, troisième partie de la nuit, ses deux frères, eux, dormaient, son père se levait parfois pour boire un verre d'eau, à la cuisine, qu'Elsa, sa mère, était morte. Il eût souhaité comprendre définitivement son départ, et son absence. Puis ses deux frères avaient quitté la maison. L'aîné s'était marié. L'autre vivait avec une amie. Julien s'était retrouvé encore plus seul dans l'appartement, se demandant si, derrière la porte de la chambre qu'il partageait avec Elsa, son père n'avait pas lui aussi des rêves, ceux-là d'étreintes, de fiançailles et d'émerveillements. D'où les poèmes de Julien qui chantaient trop et faux. D'où la poésie, interdite par le sacrifice de ne vouloir ni pouvoir livrer le réel secret des songes. Julien avait *vraiment* rendez-vous avec sa mère chaque nuit. Il ne grandissait pas.

Ils furent bientôt au bord de la falaise. Une pancarte annonçait *attention, éboulements.* L'inconnue n'osait plus avancer. Sa main avait tremblé légèrement, comme dans les rêves avec Elsa quand il y avait danger. Ils s'assirent sur le sol à la limite de l'herbe et du rocher, lui en tailleur, elle jambes allongées, les bras tendus de chaque côté du corps, tête renversée en arrière, yeux fermés, respirant profondément. Il y eut alors un rayon de soleil, comme à l'heure des averses, entre deux nuages, pour très exactement caresser son visage. L'inconnue jubilait. Ses lèvres remuaient. Elle répétait un mot, un seul, ou bien était-ce un prénom ? Julien se sentait exclu, il se tut pendant un long moment. Il jetait de petites pierres du bout de la falaise. La mer scintillait et faisait cligner ses yeux. Le cri des mouettes, répercuté par la paroi rocheuse, montait jusqu'à eux, tumulte que rythmait le fracas des vagues.

«J'étais allé au cinéma, ça fera une semaine demain», confia Julien en veillant à ce que sa voix soit juste à la portée de l'inconnue, ni forcer ni heurter qui que ce soit, proposer, ne rien imposer, « c'était un film grandiose, une histoire de guerre avec un enfant perdu qui, à la fin, retrouvait ses parents. J'ai pleuré. Je n'étais pas le seul. On se croit toujours le seul dans ces cas-là. Dans la rue, j'allais vers le métro, je rentrais à la maison, je suis passé devant la terrasse du Café Shark. Il y avait du monde. Du monde qui brusquement s'est mis à rire en regardant derrière moi : un clown m'avait emboîté le pas et imitait tous mes gestes. Alors j'ai fait semblant de trébucher, j'ai fait un pied de nez, j'ai tourné autour d'un marronnier en mimant l'avion avec mes bras. Le clown me suivait. Rien à faire. Que fallait-il imaginer de plus ? Plus j'inventais, plus il m'imitait et plus les spectateurs de la terrasse riaient aux éclats. J'étais à la fois flatté parce qu'en scène et humilié parce que je venais de pleurer au cinoche. Puis le clown m'a lâché et je me suis retrouvé encore plus seul dans la foule, conscient du fait que ma vie ne posait pas de

problème et inquiet de rentrer chez moi, au rendez-vous de mes rêves avec Elsa. Ma mère.
C'était son prénom. C'est quoi le vôtre ? »

« À un feu, rouge pour les piétons, j'ai trouvé
une bombe de peinture noire à moitié pleine.
J'ai oublié le métro. Il me fallait un mur, un mur
vierge. J'écrirais un poème en grand et on me
lirait, je dis bien *on*. Je me suis perdu dans le
vieux quartier de la ville. Je secouais la bombe
pour que le tracé soit parfait. Je ne savais pas ce
que j'allais écrire. Ça viendrait, ça crierait au
dernier moment. Derrière le bâtiment des
Archives, dans une rue où j'étais passé le jour où
ma mère m'avait emmené au musée Carnavalet,
j'ai trouvé mon mur. Et j'ai écrit en grand, très
lisiblement, *jaloux, jaloux de ta mort, jaloux de
ton éternelle absence.* Trois fois *jaloux* : je ne
serais jamais un bon poète. Ou alors un de ceux
qui chantent. Le lendemain, j'ai appelé pour la
troisième fois l'aiguilleur et je me suis fait une
âme de premier communiant pour le convaincre. »

L'inconnue se leva. Elle tendit la main à Julien,
« rentrons ». En chemin, passé le muret et la
haie de troènes, elle murmura « j'ai un fils de
votre âge ». Julien aurait voulu savoir le prénom
de l'inconnue. Et le pourquoi de sa venue.

3.

C'est un hôtel comme un autre, « pas vraiment de salubrité mais presque », dit Roger, l'époux de Madame, l'aiguilleur. Et encore « le goût de vivre n'a pas de prix, le droit de partir non plus ».

Dans son bureau, Madame trie les affaires de Jonathan. C'est ainsi chaque matin. Parfois il y a deux ou trois corbeilles à linge dans lesquelles tout de chacune ou de chacun se retrouve en vrac. Aujourd'hui, il n'y a eu qu'un départ. Madame a déjà fait porter les chemises à Julien. Madame a pris l'habitude de tout faire disparaître, question de sécurité. Une médaille, un livre, un chiffon pourraient servir d'indice ou de pièce à conviction. Elle sourit. Elle se méfie surtout de Caron et de ses petits trafics. Il lui a pourtant promis de ne toucher qu'à l'argent. Cet argent dont son oncle Lucien, dit Lulu, frère de Roger, célibataire, chauffeur de taxi, un peu poivrot, l'homme à l'écharpe bleue, dit qu'il n'a « pas de parfum ». Lulu ne dit pas *odeur* mais *parfum*. Roger ne dit pas *mourir* mais *partir*. On a des manières, malgré tout.

Il y a dix-sept ans que Madame a hérité de l'hôtel *Bellevue.* Caron avait dix ans. Roger avait des maîtresses. Chaque soir, il partait « en bordée » avec son frère Lucien. Elle, elle était spécialisée en plissés pour les grands couturiers. On venait de loin lui apporter du travail. Elle gagnait bien sa vie. Roger dépensait tout. Caron était beau. Elle avait du malheur. Elle lisait des livres.

Au moment de l'héritage, elle venait de lire *Styx*, un épais roman traduit de l'allemand, mémoires d'un sous-marinier de la Seconde Guerre mondiale. Cette lecture, mêlée à son ressentiment de femme plus ou moins délaissée, lui avait donné l'idée de reprendre le petit hôtel que ses parents avaient durement tenu, si peu de clientèle, uniquement pendant les vacances, et d'en faire un établissement fonctionnant douze mois sur douze, avec les dix-sept chambres de l'unique premier étage toujours occupées.

Ainsi avait-elle quitté la ville, sans Caron d'abord, avec Caron ensuite quand il avait été en âge de partager le secret, d'en profiter et de se taire, laissant Roger et Lucien à leurs virées, abandonnant un métier méticuleux pour un autre qui l'était encore plus. Il fallait prendre mille et une précautions, comme dans un conte, et c'était pourtant « du vrai ». Roger, heureux de se retrouver plus ou moins célibataire, avait joué le jeu du projet, mettant à profit son expérience d'employé au Service municipal de réduction des ordures ménagères.

Caron était désormais là, en âge aussi de vendre son corps. De l'argent, c'est tout, de l'argent. Madame, elle, gardait le secret de ce qu'elle appelait son « départ rêvé », tels des moines qui gardent celui de leur liqueur, ou des nez de jus d'essences rares celui de leur parfum. Règle première, faire tout disparaître des vêtements et objets de la dernière halte, veiller à la banalité des visites semestrielles de la gendarmerie et du département de sécurité hôtelière. Pour cela, Madame possédait le doigté de vingt ans de *plissés* en tous genres, créations, entretiens, restaurations, et Roger faisait habilement son travail d'aiguilleur, attentif à n'envoyer que des clients calmement désireux. La moindre erreur humaine serait fatale, le moindre oubli pratique signifierait la fin de l'entreprise. L'hôtel *Bellevue* était ainsi devenu l'hôtel *Styx* en souvenir d'un texte et d'un tourment.

Aucune pancarte n'interdisait l'entrée de l'hôtel, donc personne ne s'approchait. Ou alors des vacanciers, et Madame leur servait un thé sans goût, sur la pelouse, comme si de rien n'était. Cela n'était arrivé que deux fois en dix-sept ans. Madame était respectée par les commerçants de la région. C'était la première cliente, peu après l'aube, elle achetait ce qu'il y avait de meilleur, à bon prix. « Toujours autant de clients, Madame ? » Elle répondait « toujours ». La curiosité s'arrêtait là. Elle payait comptant. « Et en plus, elle a le sourire. »

On entre par l'arrière de l'hôtel, un perron surmonté d'une marquise en verre bleuté sur laquelle, les nuits d'orage, la pluie crépite. Devant le perron, la moto de Caron, rutilante, « on me touche, maman, c'est tout. Ils ou elles ne font que me toucher, je m'en fous », et la fourgonnette blanche pour les courses, commissions et réceptions des nouvelles et nouveaux venus, à la gare de la sous-préfecture, à trente kilomètres de là.

Assiégée, inquiète et heureuse du sort qu'un temps elle aurait voulu subir, subir n'était pourtant pas le terme adéquat, Madame prenait garde à ce que les places louées dans le train soient toujours les mêmes, premier wagon, première classe, sortie directe sur la place de la gare, aucun nom de lieu. Tout comme le trajet en direction de l'hôtel, savamment étudié, par des routes de traverse, ne passait par aucun village. Rien que des hameaux qui ne portaient pas de noms. Les clients, pour leur sérénité, ne devaient pas savoir où.

Dans le hall de l'hôtel, un comptoir, les dix-sept clés accrochées, des cases pour les messages qui resteront vides, un bouquet, des fauteuils à fleurs, une table basse avec des revues d'art et de géographie, un tapis d'Orient, piétiné, qui donnait par endroits des signes de faiblesse : on devinait ci et là la trame et la fibre. Madame aimait ce tapis. Elle l'appelait, pour elle-même, le tapis volant. Elle offrait aux autres avec aplomb parfois, aplomb et délicatesse, sans jamais faire de confidences, ce qu'elle aurait souhaité que la vie lui offrît. Elle menait bien son affaire.

À gauche de l'entrée, une double porte, une enfilade de trois salons, le rose, le jaune, le bleu, au bout la salle à manger, puis la cuisine où personne n'avait le droit d'accès, cela allait de soi, pas besoin de l'annoncer.

À droite de l'entrée, une porte avec pancarte *privé*, le bureau de Madame, un couloir, la chambre de Caron, le petit salon dit *des décisions* et la chambre du maître. Roger n'était jamais venu depuis dix-sept ans, pas même pour accompagner Caron. Madame lui parlait chaque soir, longue conversation téléphonique, anodine au cas où il y aurait eu écoute. Lucien, Lulu, lui, ne savait rien. Il n'effectuait que les transports. Avec son écharpe bleue. On le payait. Rien ne pourrait jamais l'intriguer : il avait peur de son frère. Chacun pour soi. Le tour était joué, si peu un tour, une réalité. Roger le surnommait, au téléphone, le *sablier*. L'aiguilleur, le sablier, Madame et Caron.

Un imperméable, un bonnet de laine, deux pantalons de velours, une cravate en soie grise, des boutons de manchettes, une chaîne en or, un stylo à encre noire, un semainier, un carnet d'adresses, une paire de lunettes, les œuvres complètes de Montaigne, Madame les feuillette. Elles sont annotées. Des produits de toilette, des flacons, des tubes, des médicaments avec mention, en rouge, *ne pas dépasser la dose prescrite*, une brosse à dents et un portefeuille avec de l'argent que Madame garde, des papiers qu'elle jette ou déchire, passeport, permis de conduire, carte de crédit, photos d'un jeune homme, photo d'un couple, ses parents ?

Ainsi, chaque matin, par plaisir, comme une curiosité, et par intérêt, Madame passe les effets des partants au peigne fin. C'est comme une vie qu'elle déchiffre dont il manquerait quelques chapitres, les plus importants certainement. Ce matin, il y a aussi une lettre cachetée, avec un nom et une adresse à Amsterdam. Habituellement, Madame se dépêche de déchirer le courrier. Qu'une seule lettre parte pour l'extérieur et l'entreprise capotera. Exceptionnellement, elle ouvre la lettre, elle lit, elle veut en savoir plus de Jonathan.

Un lundi ou un mardi, je ne sais plus. Ici, il n'y a pas de compte à rebours. Mon cher Lammert, comme tu étais pâle, les derniers jours, à l'hôpital Wilhemine. Je ne savais même plus si ma présence te réconfortait. M'entendais-tu te parler des moments de ferveur et d'éclat que nous avions vécus ensemble? Il est minuit passé de quelques minutes. J'ai l'impression que c'est pour cette nuit. Cela fait sept jours que je suis ici. Le sept est mon chiffre. Un jeune homme vient de quitter la chambre. Il s'appelle Julien. Il est venu pour que je le caresse. C'était pour lui une première fois. J'avais honte de mon corps. Je le touchais en fermant les yeux. Je pensais à toi, ta première fois avec moi. Et les ans clairs par la suite. Déjà, ça se voit. Je suis encore plus taché que tu ne l'as été, au début, la peste de nous deux, l'un entraînant l'autre, et c'est ainsi, tant mieux. Dans une autre vie nous nous retrouverons chats, sous le même toit, et je te lécherai, comme toujours. Nous dormirons l'un dans l'autre et nous n'aurons plus qu'à nous regarder afin de tout nous dire.

C'est pour cette nuit, j'en suis sûr, je le sens. J'ai donné à Julien mon dernier paquet de cigarettes, de celles-là, ta marque préférée, qu'on ne trouvait que dans les duty free des aéroports. Un paquet de Silk Cut bleu, de celles-là qui te faisaient vomir les derniers temps, dès que tu voulais en fumer une, mais si, mais si, tu insistais, on va tenter un nouveau traitement. On me l'avait dit, tu servais de cobaye. Tu avais, paraît-il, donné ton accord. C'était plus de souffrance pour pas de délivrance. Tu es mort. Je t'embrasse. Je te rejoins. Je n'ai pas voulu vivre seul la même fin que toi. J'ai suivi tes instructions. J'ai quitté l'appartement avec juste ce qu'il fallait pour voyager. J'ai donné les clefs à tes parents. Pour la première fois, en partant, ils m'ont embrassé. Du bout des lèvres. Embrassé tout de même. Je n'ai pas prévenu le bureau. J'ai tout de suite téléphoné au numéro que Karl t'avait donné quand tu lui avais dit que tu étais perdu. Lui, il était seul. Moi je voulais te sauver, je souhaitais nous guérir. Je ne savais pas qu'à mon tour cette sacrée peste de l'amour rongerait ma peau et mes os. Seul, j'ai utilisé le numéro.

J'arrive. Ne t'impatiente pas comme tu le faisais, le dimanche, quand nous avions décidé de courir à perdre haleine dans les dunes de Sandwoert. Il y a de l'amour dans la chaîne de nos morts, nous faisons la ribambelle. Ta première lettre, je me la rappelle. Tu me disais encore vous. Tu m'écrivais « merci de vous écrire à moi ». Je t'aimais pour ces mots-là. Huit jours avant ta mort, et j'aurais tant voulu que tu t'endormes plus vite, les analyses étaient formelles, j'étais perdu. Je n'ai pas voulu lutter. Je suis venu ici parce que je savais que tu ne viendrais pas à mon chevet. À demain. Il faut que je m'endorme, sinon ils ne viendront pas. Pourvu qu'il y ait Caron, un jeune employé de l'hôtel que j'ai aussi caressé. Alors il me prendra dans ses bras, comme tu m'as si souvent pris dans les tiens. Chats, nous serons chats. Je te le promets. P.S. Tu vois, encore une fois, comme au premier temps de l'émoi, je me suis écrit à toi. Jonathan.

Madame déchira la lettre. Elle avait enfin osé en lire une, au bout de dix-sept ans de beaux et scrupuleux services, dix-sept ans sans aucun jour de vacances, livrée à la singulière vacance de l'hôtel, ceux qui arrivent, ceux qui partent, une foule égrenée, de vagues souvenirs, tant de visages déterminés. Il fallait aller plus vite que la peine. Dans le couloir, près de sa chambre, il y avait la porte de la cave fermée à clé. La clé était dans son corsage. Elle avait été jolie du temps des fiançailles avec Roger, beau gaillard. Et Caron tenait un peu d'eux deux.

Elle poussa la panière dans le couloir, ouvrit la porte, alluma la lumière et, sitôt en bas, fourgua le tout dans le compresseur après avoir allumé le four auto-aéré, pas de fumée extérieure, pas de trace, une invention de son Roger qui avait eu l'étourderie de ne pas la déposer. Ils eussent été alors si riches qu'il n'y aurait plus eu d'hôtel Styx. Les bras croisés, devant les machines, Madame se dit qu'il ne faut plus trop attendre, chambre 12, avec le jeune Julien.

4.

L'immense table. Dix-huit convives. Caron ne paraissait jamais aux repas. Madame régnait. À sa droite, Samuel, le plus âgé de tous, le vieil homme de la chambre 2, malin, l'œil vif, cheveux blancs, terriblement bavard.

Tout était servi. Les crudités, les gratins de poisson, les poulardes aux morilles, le plateau de fromages et les charlottes au chocolat. Madame répétait souvent « servez-vous donc! Ça aide ». Que voulait-elle dire? Ça aide à se connaître? Ça aide à se parler? Ça aide la maison tout court?

Samuel lança avec éclat, comme pour provoquer Madame, « ce matin j'ai écrit ceci, *laissez aux morbides la gourmandise de se perdre et aux sereins la liberté du dernier exploit* ». « Pas de ça! » trancha Madame. Samuel maugréa « c'est le repas de midi. C'est pas comme au petit déjeuner. Il n'y a pas d'arrivées. Il faut bien que quelqu'un parle ». « Je vous le redis, pas de ça. Pas comme ça. »

Dora eut l'air étonné. Julien regarda l'inconnue. Minna, et elle insistait sur les deux *n* de son nom, elle était d'origine berbère, osa dire « Madame, c'est bien de parler comme on veut ». Il y eut un silence. Quelqu'un dit « si au moins il y avait la télévision ». Quelqu'un d'autre ajouta « le journal quotidien me manque, c'est idiot. Les nouvelles brèves, les faits divers, le courrier des lecteurs. J'aimais recevoir des lettres ». Une tierce personne glissa « un peu de musique, si nous organisions une fête, ce soir ? Chacun improviserait ». « Du calme, dit Madame, vous avez tout. » « Oui, répliqua Dora, tout est parfait. » « Alors, relança Samuel, j'ai une histoire drôle à vous raconter. Elle est juive. Je suis juif, mes parents venaient d'un petit village de Pologne où les gens étaient un peu simples. Ça se passe là-bas. Un homme demande l'heure à un autre homme qui n'a pas de montre. Celui-ci lui répond, en regardant le ciel gris : dans dix minutes il sera quatre heures. Le demandeur se fâche : je ne vous demande pas l'heure qu'il sera dans dix minutes mais l'heure qu'il est maintenant ! »

Il y eut un autre silence. Tout le monde attendait la suite. Personne n'avait compris. Samuel ajouta « j'aime les histoires drôles qui ne font pas rire ». Il regarda Julien, « toi, le petit là-bas, tu as compris. Même ce que j'ai dit au début ». L'inconnue intervint « laissez-le tranquille ».

Madame ajouta « changeons de conversation. Mangez. Les morilles sont fraîches. Au fait, qui les a ramassées et déposées sur le comptoir du hall ? » Les têtes se baissèrent. « N'allez pas trop loin quand vous sortez, s'il vous plaît. »

Madame fit alors le tour de la table, ramassa les assiettes des hors-d'œuvre et les posa sur une large desserte à colonnades, seul meuble conservé de l'hôtel Bellevue, vilain mais large et pratique. Puis elle distribua les assiettes propres et alluma les chauffe-plats sous les cocottes de poularde aux morilles placées à chaque coin de la table et un au milieu, pareil pour chaque repas, chaque plat principal. « Servez-vous et mangez, je vous en prie. Pour vous faire plaisir », une formule, comme à l'accoutumée, qui avait toujours son petit succès. Madame veillait cependant à n'en user que chaque huitaine, lorsque la clientèle était entièrement renouvelée.

Le vieux Samuel avait l'air à la fois fâché et amusé. Ce que Madame craignait arriva. Dès qu'elle reprit place, il se hasarda dans une sorte de harangue, « je rêvais tout de même d'un endroit un peu plus paillard. Le vieillard, en moi, trique encore. Et Caron, pardon Madame, eu égard au fait que votre unique employé est votre fils, rien pour moi. Mesdames, ne me regardez pas trop vite, je suis à votre disposition. Comme on dit chez les gays à Bruxelles, j'ai une santé de *Magnifique* et *Magnifique* c'est le cardinal-recteur de la très catholique université de Louvain. Oui, je rêve de bière, de frites, de moules, et de certains de vos corps. Minna, c'est une déclaration : je suis à vous, ne faites pas la moue. Dora, au petit déjeuner, vous fûtes le premier rayon de soleil de ma journée. Claire Brévaille, puisque vous nous avez fait la confidence de votre nom alors que l'aiguilleur et Madame ont dû vous l'interdire, comme à nous, vous êtes un beau brin de femme. Vous ne le saviez pas ? Un mot, et je viendrai frapper à la porte de la 3. Toutes, je vous appartiens. Je suis à la demande. Il y a de la surprise garantie. Et de l'expertise. J'étais expert en diamants. Mes quatre fils n'en pouvaient plus de ne pas me voir *partir*, comme dit l'autre, votre époux, Madame ? Alors j'ai choisi cette voie de sortie. J'ai menti pour venir ici. J'ai inventé une autre histoire. Si vous êtes sages, et si Madame me prête vie, je vous la raconterai. Elle est encore plus drôle que mon histoire drôle. Vous ne pouvez plus me renvoyer. J'en profite. On me déclarera *parti sans laisser d'adresse*, puis *disparu sans laisser de trace*, l'affaire pour l'héritage prendra du temps, trente ans, en Belgique la prescription est trentenaire. Mes quatre fils seront bien obligés de s'entendre et de partager. Oui, j'ai même fait fortune avec les bijoux des miens, à une certaine époque. Je leur vendais des laissez-passer, faux, et des passeports, faux. Je portais le nom de feu mon épouse, Van Thyghem, ça faisait bien. Quand mes fils auront droit à leurs ultimes cérémonies respectives, ils n'auront toujours pas hérité. Une autre histoire drôle qui ne les amusera pas. Mais pour la bagatelle, je suis là. Toujours prêt. Je mange de l'ail depuis l'âge de quinze ans. Ça donnait du goût aux boulettes de mie de pain quand j'étais encore au village de *l'heure exacte*. Vous ne savez pas ce que vous perdez, petit Julien, des années d'aventures, le meilleur et le pire, le meilleur surtout. Le pire a du charme quand on y pense. J'ai laissé derrière moi une seule personne malheureuse, une gaillarde, une fidèle, belle comme une Cadillac. Les autres piétons de sa vie doivent bien la décevoir. Les morilles, c'est moi qui les ai ramassées. Pour les champignons, comme pour la beauté, je n'ai pas mon égal. Je vais droit au but. Ma chambre est la 2. Contrairement au règlement, j'ouvrirai la porte, même pendant la sieste. Les champignons après tout, c'est de la vermine. Alors, mesdames, ne faites pas semblant de regarder ailleurs en vous régalant. Et vous, Madame, n'ayez pas peur. Je n'irai pas trop loin dans les bois et je serai un bon client. Je sais que le temps presse. Avis à celles qui le regretteront peut-être demain ».

Tout le monde crut qu'il allait se taire. Madame avait déjà pris la décision de le faire *partir* au plus vite, quand il releva la tête, en retard qu'il était sur son plat et *ses* morilles, «et vous, le professeur, ne prenez pas cet air gêné! Ce n'est pas parce que vous pensez que vous devez nous interdire de jouir. La pensée doit être une perpétuelle jouissance. Le repas une réjouissance. Allez-vous nous faire croire que vous êtes moins friand que nous?» Le professeur se leva, «je vous prie de m'excuser», et quitta la salle à manger. Samuel ajouta «lui, c'est la 16. Vous avez le choix». Madame se leva à son tour et débarrassa les assiettes du plat principal. On entendit le bruit des assiettes et des couverts. On passa au fromage. Samuel dira encore, la bouche pleine, après s'être essuyé les lèvres, «je suis une œuvre de maturité». Cela n'amusera que lui. Les autres étaient médusés. «Un cimetière de méduses», dira le soir même Samuel à Minna, chambre 13.

Après le dessert, il y aura le rituel du café dans le salon bleu. Dora voudra parler au professeur mais il l'évitera et passera dans le salon jaune, avec sa tasse, léger tremblement de la main, colère ou maladie? Quand elle le suivra dans le salon jaune, il passera dans le salon bleu: le professeur avait abandonné la tasse pleine sur le guéridon. Il avait pris la fuite. Une femme, petite, boulotte, avec de grosses lunettes d'écaille, avait suivi Dora, «vous aussi, vous voudriez bien lui parler. Je m'appelle Jacqueline. Je sais que vous êtes Dora. C'est terrible ce que vous avez dit de Zurich et des enfants. En fait, vous n'en vouliez pas. C'est ce que j'ai pensé en vous écoutant ».

Les deux femmes se regardèrent et échangèrent un sourire de convenance, timide en apparence : elles ne seraient jamais amies. Pouvait-on éviter à l'hôtel Styx, au moins là, d'essayer de percer le secret de l'autre ? Dora se dit en observant Jacqueline que jamais dans sa vie elle n'aurait adressé la parole à quelqu'un d'aussi disgracieux, même et surtout si cette personne avait de la bonté dans le regard. À poursuivre le professeur, ne venaient-elles pas également d'agir en rivales avant même de se connaître ? Jacqueline dit « je suis ici depuis cinq jours. J'ai la 17, au-dessus de la cuisine. Le professeur est à la 16. C'est mon voisin. Quand il est arrivé avant-hier, il a dit : je suis professeur, j'ai abandonné mes élèves. J'ai un nom. Pas de prénom. Pour personne. Jamais. Après il fut question de Dieu, de l'absence de Dieu, de Kant, de Freud, du savoir, de l'Histoire, des tribus, du comportement des Français pendant la dernière guerre, des politiciens, *ces gens trop mal élevés,* de la foule, de l'isolement, du fait qu'il était resté étudiant avec les étudiants, le tout en vrac : il avait le trac. Il nous a demandé de ne rien lui demander. Quand vous vous êtes présentée ce matin, Karl, Tokyo, Zurich, une autre femme, ça me parlait parce que moi je... » Dora posa sa tasse de café,

vide, près de la tasse de café, pleine, du professeur et regarda Jacqueline, «je ne veux rien
savoir de vous. Je ne sais rien de moi». Et elle
regagna le salon bleu.

L'inconnue venait de dire à Julien «maintenant
je voudrais vous parler. C'est dur de répondre
en temps voulu. Je m'appelle Hélène». Julien
alluma une cigarette. Madame lui dit «elle vous
va très bien cette chemise». Samuel susurra à
Madame «vous m'en voulez? N'oubliez pas que
ma chambre est au-dessus de la vôtre». «C'est
une menace?» «Non, un hommage.» Une certaine bonne humeur régna. Dehors, il faisait
soleil. Minna s'approcha de Hermann. Hermann lui dit «non, une fois suffit. Je veux vivre
mon histoire».

5.

Madame pensa « ainsi, le bonheur va de pair avec la peur ». Elle aussi craignait. Comment peut-on vouloir mourir de vivre ? L'échantillonnage de clients, l'éventail de passagers de l'hôtel, ce clan en perpétuel renouvellement, Madame n'y était pour rien, Roger non plus. C'étaient celles ou ceux qui appelaient, pas seulement les riches. Des gens. Bien sûr, il y avait eu un ancien ministre, un cardinal, un ambassadeur, et même deux généraux de l'air comme par hasard, l'armée de terre c'était autre chose, et les marins font déjà tout le temps la traversée, considérations que Madame s'était faites avec cet humour vague qui empêche la mélancolie de gagner du terrain.

Elle aussi était désireuse d'en finir et, pour cette raison-là, précisément, la précision de l'éternel *plissé*, elle était devenue l'instigatrice et l'organisatrice de ces départs. Sans cesse elle y pensait. Surtout lorsque Roger lui téléphonait, chaque soir. Elle s'interdisait alors le dépit tout autant que la rancune. Samuel, de tous ceux qu'elle avait vus, n'était pas sans l'intriguer, avec son humour glacé et son obsession de la trique. Madame savait, avec cette pertinence qu'autorise l'expérience, que sa colère contenue du repas de midi, sa volonté de précipiter son départ, n'avaient d'égal que son désir confus de garder le plus longtemps possible avec elle le vieillard paillard et rusé.

Madame, après le café, dans son bureau, fit pour la première fois le calcul suivant : 52 semaines pour 17 chambres, 884 ; 884 par 17 ans, 15 028 clients, moins les 17 présents, soit 15 011 partis sans laisser d'adresse, un peu moins peut-être puisque, les premiers mois, l'hôtel ne s'était rempli que petit à petit. Elle ne connaîtrait jamais le total exact, si minime en regard des milliers de personnes qui disparaissent chaque année. Il y avait même eu un jeune curé de campagne, un illusionniste, deux actrices de théâtre, un pianiste suédois, une très jeune fille espagnole, enceinte, c'était encore du temps de Franco, tant et tant de visages que Madame se perdait dans cette foule qu'elle avait drainée sans avoir jamais le sentiment d'un quelconque secours.

Madame était pourtant le centre de sa propre histoire. Mais le théâtre de sa mémoire ne retenait que les scènes intimistes, l'infime des sentiments, si peu la caricature, les personnes plus que les personnages. On venait chez elle de tous les horizons et il n'y fallait rien chercher d'exemplaire sinon l'expression d'une volonté de s'exclure, de ne plus jouer le jeu, ou encore de ne plus souffrir de l'incapacité à n'avoir jamais pu le jouer.

Effrayée par le calcul, des milliers donc, Madame seule dans son bureau se dit que, par l'hôtel *Bellevue* devenu *Styx*, elle s'était offert le luxe du doute d'elle-même, et dix-sept ans de remise de peine. Elle se prit même en flagrant délit d'oubli : quand avait-elle rencontré son Roger pour la première fois, où et comment ? Sur ce souvenir-là, sa mémoire était devenue lisse. N'avait-elle jamais aimé Roger ? Ne s'était-elle que figuré ce qui aurait pu être un amour ? Madame, en revanche, se souvenait très bien du jour où, à la clinique d'accouchement, après une délivrance compliquée, douloureuse césarienne, on lui avait présenté Caron, nu, dans des langes douillettes, avec son petit bout de sexe par-devant. Ce jour-là, à cet instant-là seulement de sa vie, elle avait pris pour certitude la figuration de son amour pour Roger, ce péteur, ce ron-fleur, ce ramasseur d'ordures, ce coureur de jupons, ce gentil cochon. Madame se leva et ouvrit en grand la fenêtre de son bureau pour respirer un peu. Jamais l'odeur de rocher, de varech et d'écume ne lui avait paru aussi vive et prégnante.

Hermann frappa au bureau de Madame. Madame ouvrit, sortit, referma la porte et lui parla devant le comptoir, ramassant quelques pétales de fleurs tombés pendant le repas. Hermann parlait le français avec l'accent allemand et un brin d'accent du midi de la Corse. Il portait des chemises à manches longues pour cacher ses tatouages. Il venait de fuir la Légion étrangère. « Ils me recherchent, avait-il dit à l'aiguilleur, ils ne doivent pas me retrouver. » Roger, à l'interrogatoire, avait souri, « ce sera pour demain. Profitez-en là-bas pour titiller ces dames. Il y en a toujours quelques-unes de guignolettes ».

Hermann dit à Madame « je désire une chambre avec un grand lit. J'ai la 14. J'en veux une autre. Je veux m'étaler ». Madame remonta son corsage, remit le col en place, bras croisés, une main relevée, comme pour cacher son collier de perles fausses, elle en avait jeté tant de vrais, scrupuleusement, le geste était coquet, elle répondit « je n'y peux rien. L'hôtel est complet. Les chambres à numéro pair ont des lits doubles, et les chambres à numéro impair de grands lits, c'est ainsi. Je ne peux pas vous changer ». « Je ne veux pas d'un lit vide à côté de moi. C'était le lit de mon frère. Il est mort. Je l'ai vengé d'un coup, mon père, ma mère, ma tante et ensuite la Légion. » « Monsieur Hermann, les vies de chacun, je ne les écoute pas. Je ne peux pas en tenir compte. Dormez avec votre voisine Minna comme la nuit dernière!» Hermann, piqué au vif, rougit tel un enfant. Il donna un coup de poing sur le comptoir, «je veux un grand lit! Seul!» Le geste avait été violent. Madame sonna Caron, on ne sait jamais. Cela lui donna de l'assurance, «c'est impossible, monsieur Hermann». «Alors faites-moi partir vite.» «Ce n'est pas moi qui décide, monsieur Hermann.» Il la saisit au col, le collier de perles se brisa, «c'est qui, dites-moi qui?»

Caron surgit, les sépara. Les perles avaient roulé sur le dallage. «Pardon, murmura Hermann, chaque matin je me réveille avec un bras mort, engourdi. Chaque matin j'ai l'impression d'avoir perdu un bras, comme si ma main se vengeait.» Caron dit «les petits bobos, ça ne nous intéresse pas». Samuel qui sortait du salon rose et qui allait monter pour la sieste s'accroupit, ramassa une perle, puis deux, les renifla, «des fausses!» Madame passa de l'autre côté du comptoir. Samuel dit «moi, Madame, je vous en aurais offert des vraies». Hermann se frottait les bras. Caron aida Samuel à rassembler les perles. Samuel dit sur le ton de l'humour «le problème est circoncis?» Personne ne sourit. Madame le regarda, «monsieur Sam, quand arrêterez-vous?» Il rétorqua «quand vous le déciderez, Madame. C'est gentil de m'appeler Sam. Merci». Il s'était relevé et avait fait un semblant de révérence en disant «Madame». Hermann cria «qui décide, qui?» Il pointa du doigt Madame, «elle ose dire que ce n'est pas elle». Samuel lâcha sa poignée de perles. Hermann monta l'escalier en courant et disparut. La porte de sa chambre claqua. Caron embrassa sa mère sur le front, «je vais balayer. Je demanderai à Minna de refaire le collier. Elle saura».

Samuel sortit. La dame de la 1, sa voisine, était assise, seule, sur un banc, les mains sur les genoux, les yeux fermés, l'air radieux. Il lui dira «je peux?» Elle répondra en riant «vade retro Satanas». Il prendra place à côté d'elle, «alors, vous avez de l'humour?» Elle se lèvera, «je m'en vais». «Adieu, Gisèle.» «Oubliez mon prénom, s'il vous plaît.» Et elle ira s'asseoir, seule, sur le banc suivant. Samuel dira à voix très haute, vers le ciel, «c'était déjà pas facile ailleurs, c'est encore plus difficile ici. On ne peut donc parler qu'à soi-même. Voyons, Gisèle, vous crevez d'envie de parler».

Gisèle se dirigea vers la tonnelle. Bien sûr, elle avait besoin de parler, à ceci près qu'elle se gardait le droit de choisir son interlocuteur. Sans doute, par exigence toujours plus ou moins injuste, s'était-elle *interdite* toute sa vie. Ce n'était pas une question de hauteur. Gisèle avait peur du furtif, de l'anodin, du quotidien, de l'insignifiant, de cette extraordinaire accumulation de détails qui lui eussent donné un quelconque chagrin si elle n'avait pas été rebelle à toute idée de plainte ou de drame puisque, de drame, il n'y en avait pas.

Gisèle franchit le portail du muret, se dirigea vers le rebord de la falaise et obliqua sur la gauche. Il y avait un sentier, en bordure du précipice, qui serpentait jusqu'au raz. En contrebas, le passage de la mer était resserré, d'où le fracas qu'elle entendait plus fortement qu'ailleurs, dans l'hôtel, de sa chambre 1, en proue. Au bout du sentier, au vu de l'hôtel, il y avait le point dit *sublime* et une stèle surmontée d'un obélisque. Elle irait jusque-là et là, enfin, ferait le point.

En chemin, elle s'organisa son petit cinéma, le film de sa vie, une vie ni bonne ni mauvaise, des parents rigoureux dont elle aimait la pudeur et la rigueur, des frères et sœurs qu'elle ne voyait plus ou peu à cause de la multiplication des familles. Alexandre et elle avaient eu cinq beaux enfants, mariés depuis longtemps. Elle était même six fois grand-mère et se retrouverait bientôt arrière-grand-mère. Il était temps de quitter la scène. Une de ses sœurs, Josyane, l'aînée, la dominante, lui avait dit à l'occasion d'un mariage « je ne t'écoute plus. Coupe le robinet d'eau tiède ». La décision de partir avait été cruelle mais Gisèle la voulait bien fondée.

Elle ne servait plus qu'à Alexandre qui, le jour de sa mise à la retraite de l'usine de cartons d'emballage dont il avait été, certes, le directeur technique, toujours l'employé pourtant, avait eu une congestion cérébrale. Aphasique du côté droit, il exigeait de l'assistance du lever au coucher dans son fauteuil à roulettes, « mène-moi aux toilettes, où sont mes lunettes, tu fais une canasta, je veux voir le match de boxe, les enfants n'ont pas appelé, fais un petit effort pour les cakes, ils étaient moelleux, ils ne le sont plus », et « tu dépenses trop, le toit est à refaire, porte-moi dans le jardin, n'oublie pas cette fois de me reprendre dès que le froid tombera ». La maison était cossue. Dans la cité ouvrière, personne ne parlait à « ceux des belles maisons à colombages », les patrons. Et, entre cadres supérieurs, on n'avait rien à se dire que de prévisible, « comment va votre mari ? » « Le bébé de votre petit dernier est-il né ? » « Venez nous voir, si, nous vous attendons. »

Il y avait de la grandeur dans le renoncement de cette fin de vie. Puis le froid était tombé en Gisèle. Dans quel poème avait-elle lu *je donne à mon espoir mon cœur en ex-voto*? Elle avait capitulé. Cela durait depuis trop d'années. La dévotion était devenue esclavage. Une jalousie la tenaillait concernant le bonheur des familles de chacun de ses enfants. Il n'y avait plus de cris dans la maison. Elle se sentait le ventre creux, cureté, vidé de sa poche féconde, un outil humain hors d'usage, épouse d'un aimé devenu ni plus ni moins un infirme.

Elle était partie de nuit, sans bagages, sans même laisser un message. Alexandre avait le téléphone pour appeler au secours. L'avait-elle jamais regardé dans les yeux, vraiment, pour la parole qui se guette et ne se dira pas ? Jamais. Depuis six jours, Gisèle porte le même chemisier, la même jupe, le même chandail. Après le rendez-vous avec l'aiguilleur, elle s'était acheté une brosse à dents, du dentifrice et des larmes artificielles au cas où il y aurait du pollen là où on l'enverrait.

Au point sublime, elle fit une découverte. Sur la stèle, il y avait une inscription, *omnia amor*. Elle eut honte de son chemisier sale, honte de sa fuite, honte de son refus des occasions et des lieux de paroles, honte d'avoir donné son argent pour en arriver là, et attendre, attendre. Elle avait honte de toutes ces hontes. Elle voulait partir inaperçue, comme elle avait toujours vécu. Elle contourna la stèle, s'avança jusqu'au rebord, elle allait se jeter. Une main lui saisit le bras, Madame. « Non, pas ça ! Ça laisse des traces ! Parlez-moi. Que puis-je pour vous ? Il faut vraiment vous surveiller comme des enfants. »

Samuel avait donné l'alerte. Il attendait à mi-chemin du sentier. Madame, de loin, lui fit signe de rentrer à l'hôtel. « Ne vous y trompez pas, murmura Gisèle, je pleure sur mon bonheur. Je n'ai fait que ça toute la vie. J'avais de beaux enfants, vous savez. » Madame répondit « oui, je le sais ». Elle ajouta « ce soir vous aurez du canard aux figues ».

6.

Le professeur eût souhaité créer une discipline de pensée qui portât un nom, il n'y était jamais parvenu. Il aurait voulu que ses travaux sur le légendaire du quotidien, les incertitudes du langage, le surcélébré *ça-parle-là-où-ça-souffre* soient contenus dans un seul vocable. Laissé pour marge, on l'avait toujours tenu pour un falsificateur, un parasite, un touche-à-tout, c'était selon. Il avait entraîné deux et même trois générations d'étudiantes et d'étudiants, les initiant aux vertus ainsi qu'au plaisir du savoir, de sa découverte et de son recours. Il n'avait jamais guidé, imposé. La proposition de penser lui suffisait, il s'était interdit l'exploit de l'écrit qui aurait enfermé sa pensée au bénéfice de l'errance d'une tradition orale qui seule pouvait exprimer le désir d'en savoir plus, la certitude de ne jamais en savoir assez et le doute perpétuel sur ce que l'on a déjà appris.

Ses cours, transcrits, avaient fait l'objet de publications variées, *Séminaire de l'individu, Séminaire de la séduction, Séminaire de la nécessité des*

confusions et, surtout, ce *Séminaire des impos-
teurs* qui lui avait valu, à son esprit défendant
puisqu'il refusait ce qu'il appelait « les mauvais
tours de l'imprimerie », tant d'ennemis, flagor-
neurs du haut des barricades, et lui, en bas, avec
les élèves. Le professeur aimait l'extrême solitude de cette chambre 16, presque au bout du
couloir.

Le professeur était là depuis trois jours. Il avait
quitté son petit appartement de la rue Romain-
Leval, héritage d'une grand-tante, lieu sacré où
il n'avait pas touché à un objet, investi tel quel,
n'apportant que ses livres et effets personnels,
comme s'il allait donner un cours. C'était
vacance universitaire. Luisa, la dame de ménage
qui lui faisait la poussière et son linge, était partie pour l'Espagne, non sans avoir demandé
d'avance ses cinq semaines de congés payés. Le
professeur aimait l'absence de cette employée
qui ne venait pourtant que deux fois deux
heures par semaine et dont la présence, dès la
veille, le tourmentait. Luisa venait si tôt le
matin. Le professeur décampait et allait se promener dans le parc Monceau, lieu trop dessiné à
son goût, sinistres allées l'hiver, funéraires fron-
daisons l'été, où la marche lui inspirait des pensées en joute avec la mélancolie des paroles, des
idées. Il préparait ses cours, parlait seul à voix
haute ou, assis sur un banc, puisait dans la lecture du journal du jour tant le regret de ce qui

se disait d'apparemment clair, voire cinglant, d'une actualité alarmante, que la tendresse et la violence demanderesses des *faits divers* et des *nouvelles brèves*, essentielles, qui le ramenaient à l'humain véritable.

Parfois, de sa chambre, il sort sur le balcon et parle à l'amphithéâtre du ciel et des nuages. Lui est venu le désir, plus que l'idée, d'un *Séminaire du départ*, trop tard ? Il a encore beaucoup à dire, à offrir, à partager, à susciter. Ne serait-ce que l'expérience qu'il est en train de vivre. Ne serait-ce que sa décision. Il emporte avec lui les mille et une questions du conte de la vie qu'il ne faut surtout pas narrer.

Il y a eu des cris dans le hall. Une porte a claqué dans le couloir. Tout devrait se dérouler calmement. Il a d'abord profité de quatre semaines de « vacance spirituelle », libre de se lever et de se coucher quand il voulait, soulagé de la crainte du surgissement de Luisa, une folle du vieil aspirateur Tornado, hérité avec l'appartement, qui occasionnait un bruit d'enfer, modèle très ancien, robuste, furieux qui ébranlait les vitres comme au passage d'un trop gros camion dans la petite rue. Puis il a pris la décision de l'appel à l'aiguilleur.

Luisa avait les clés de l'appartement. Elle donnerait l'alerte la première. La concierge dirait «il ne m'a rien dit. Il ne me prévenait jamais quand il partait en vacances». Le scénario de l'après-hôtel Styx, le professeur le bâtit avec un brin de plaisir. Il manquera peut-être à ses étudiants, à la rentrée, un an, deux ans qui sait ? «Ensuite, dit-il à voix haute sur son balcon, au bas de l'échelle, on balaye et on jette.» Jacqueline se penchera du balcon de la 17, en voisine, et demandera «vous me parlez ?» Le professeur répondra «non, je m'adressais aux mouettes». «Alors parlons ensemble.» «Non.» «Dommage, je crois savoir qui vous êtes. Je vous ai lu.» «On ne me lit pas, mademoiselle, on m'écoute.» Jacqueline se mit à rire, «j'ai cinq enfants. Mon aîné a suivi vos cours il y a deux ans». Le professeur se tut. Il dit «pardon» et rentra dans sa chambre. Il voyait des Luisa partout.

De derrière la vitre, en retrait, comme en cachette, il vit Samuel s'approcher de Gisèle, la dame de la 1, la chambre en proue qu'il aurait tant voulu avoir, celle dont l'angle coupait le vent du large, cette Gisèle qui s'était présentée au petit déjeuner en disant «j'ai eu une vie bien remplie, mais pas la vie que j'aurais voulu vivre. Je me jette comme je jetais mes vieilles casseroles». Elle n'avait pas préparé son texte. Elle avait parlé avec son cœur. Cela avait plu au professeur qui s'était souvenu d'une pensée de George Sand dont il doutait, détail important, de la formulation. Était-ce *c'est l'esprit qui cherche et c'est le cœur qui trouve,* ou *c'est l'esprit qui cherche mais c'est le cœur qui trouve?* Entre le *et* et le *mais,* il y avait une faille. Le *et* donnait de la clarté et de la force quand le *mais* créait un chagrin. Les étudiants surnommaient le professeur *pine-ailleurs,* tant pour moquer la jouissance du double tranchant des mots qu'il leur permettait de découvrir et de la rigueur de pensée qui en découlait que pour railler ce grand solitaire dont le physique à la serpe, ingrat, maladif, laissait peu de place à l'imagination de possibles étreintes, lui qui parlait si bien du séducteur, en homme qui a peur d'être séduit, et de l'isolement comme d'une ultime possibilité de rencontre avec l'aimé idéal, soi-même.

Ainsi, le plaisir du texte n'avait été, par réelle et cruelle modestie, pour le professeur, que l'exploit de la parole échangée en pure perte. On avait tenté de le récupérer par des transcriptions de toutes sortes, et, contraint, il n'avait qu'en partie échappé aux miroitements de la gloire des publiés. Il n'avait pas, en son for intérieur, succombé à la tentation des écoles et des clans. Même et surtout s'il y avait eu orgueil et ruse à ne pas jouer le jeu des autres. Même et surtout s'il avait paru hautain et distant, refusant à une voisine la parole qu'il avait donnée à un peuple d'élèves.

Le professeur avait pris sa « décision » parce que les transcriptions de ses séminaires l'avaient malgré lui enfermé dans un système qui déjà inspirait des *à la manière de*, des moqueries également, puisque, de toute évidence, ce solitaire, fils unique, et ses parents avaient été portés disparus pendant la guerre, il était jeune bachelier, n'avait connu aucune sexualité partagée avec qui que ce soit alors qu'il parlait de l'amour, de l'union, de la fusion des corps par la pensée, le geste, la mobilité, l'expression, comme nul autre en son temps présent. Le professeur mettait dans le mot *sensualité* toute la *sexualité* du monde, la sexualité étant sanctionnée par une fin univoque, la sensualité relevant d'une perpétuité équivoque.

Quelques articles savants lui avaient été consacrés par d'anciens étudiants devenus à leur tour professeurs. L'un d'entre eux s'intitulait *Trapèze volant entre psyché et soma*. Le professeur ne l'avait même pas lu. Dès ce titre, il avait compris que son ancien élève avait oublié le langage simple des premières leçons initiatrices. Était-il donc si important, pour le statut social, d'adopter impérativement les codes et modes en usage respecté ? Le professeur n'était pas sans se réjouir de partir en sachant que son *Séminaire de la dérive* n'avait pas été transcrit. Le magnétophone, ce pilleur, ce reproducteur, ce recréateur, était tombé ce jour-là en panne. Étudiant,

58

il avait vite fait le tour de Sartre et de sa vogue, avant de se tourner vers Mounier, son *Traité du caractère*, et finalement abandonner ce maître à penser pour s'adonner à la lecture féconde de l'Ancien Testament, fasciné par les judaïtés de pensées. Aussi Samuel, au repas du midi, l'avait-il tout autant fasciné qu'irrité. Le vieillard parlait net. L'histoire de l'heure juste, de l'heure de «maintenant», lui avait paru pertinente, un amusement qui ne provoque pas le rire mais une jouissance intérieure.

À Jonathan, la veille, sous la tonnelle, Julien était venu demander une cigarette, «elles sont dans ma chambre». Le professeur, de son côté, s'était un peu trop livré : il ne lui manquait que son violoncelle, «trop encombrant pour passer inaperçu devant la loge de la concierge. Diable sait que je jouais parfois tard le soir. Les voisins se plaignaient». Le professeur avait expliqué qu'il aimait par-dessus tout l'*adagio con molto sentimento d'affetto* de la sonate n° 5 pour piano et violoncelle de Beethoven. «Je m'accompagne au piano dans la tête et je joue ma partie au violoncelle. Ce fut ainsi toute ma vie. Je n'ai jamais eu un Lammert, comme vous.»

Le professeur avait vu Gisèle marcher jusqu'au raz, Gisèle se pencher au pied de l'obélisque, Madame sortir de l'hôtel, courir sur le sentier, dépasser Samuel et attraper par le bras Gisèle, au dernier moment. Jacqueline, de son balcon, avait poussé un cri. Un cri de trop et le professeur s'était mis à douter encore plus des qualités de sélection de l'aiguilleur qui ne faisait pas si bien que ça son travail de commerçant. Derrière les lunettes de Jacqueline, ses épaisses lunettes de myope, on lisait clairement l'hystérie, l'incontrôlé, le déchirement du ventre, le cri alarmant.

Le professeur s'allongea sur son lit. Il jouait du piano dans sa tête. Il n'avait plus de violoncelle. Il se mit à parler de la *dérive*, à voix si haute que Jacqueline certainement l'écoutait. Puis on frappa à la porte, c'était Gisèle, souriante et en larmes, « pardon, professeur, de vous déranger. Sur la stèle, au bout du raz, sous l'obélisque il y a deux mots *omnia* et *amor*. Ça veut dire quoi ? » « Tout est amour. »

7.

Caron répare sa moto devant le perron. Madame s'est retirée pour préparer le dîner. Elle a promis du canard aux figues, régaler ses clients lui donne une meilleure conscience de tenancière. Elle s'applique, elle est devenue experte par souci de choyer celles et ceux qui passent. Elle n'a pas revu Roger depuis si longtemps. Elle savoure quotidiennement la servitude de ses appels téléphoniques et le fait qu'il dépende totalement d'elle.

Minna s'approche de Caron et lui tend le collier. « J'ai fait ce que j'ai pu. » Caron regarde, « c'est du bricolage ». « J'ai défait un des miens pour refaire le sien. » « Ma mère n'en voudra pas. Aucun indice, a-t-elle dit. » « Indice ? » Caron rend le collier à Minna. Minna le jette loin dans le gravier, « tu iras le chercher si tu veux ». Elle s'assoit sur les marches du perron. Elle observe Caron, il est plus beau que tous ceux dont elle aurait pu rêver.

Le premier soir, dans la nuit de la chambre 13, Caron avait dit en refermant la porte « qu'est-ce que vous venez faire ici ? On a presque le même âge ». Il l'avait embrassée. Elle avait murmuré « dis-moi tu ». Il avait ri, l'air un peu blasé, une contenance, « qu'est-ce que tu me donnes en plus ? » « Mon âme. » « Ça ne vaut rien. » « De toutes les façons, tu m'as déjà dit tu sans même t'en rendre compte. »

Dans la nuit de la chambre 13, le premier soir, les mains dans les cheveux bruns, bouclés, de Caron, lui plaquant la tête contre son ventre, lui à l'ouvrage, elle cambrée, Minna s'était dit des choses comme « je t'ai toujours attendu et voilà que je te trouve ». Or, elle s'interdisait un quelconque regret. Sa décision était bien prise. Quand Caron avait quitté la chambre en disant « pour toi ce sera gratis », ce manque à l'idéal, cette fougue insolente l'avaient encore plus attisée. Elle n'aurait donc jamais été qu'un objet et, allongée sur le lit, lasse, comblée, elle avait souhaité qu'il n'y ait pas de matin, que tout s'achevât sur cette impression de bête et de chevalier.

Combien de fois, au bord de l'oued Aïn Sefra, était-elle allée, petite fille, puis toute jeune fille, déposer une fleur sur la tombe d'Isabelle Eberhardt ? L'inscription mentionnait *Mahmoud Saadi. Isabelle Eberhardt. Épouse Ehnni. Catastrophe d'Aïn Sefra. 21 octobre 1904.* L'instituteur français lui avait fait apprendre par cœur des fragments de textes que cette amazone, fille d'une émigrée russe, se faisant passer pour un homme, Mahmoud Saadi, afin de découvrir l'Afrique du Nord, avait écrits, journal intime, *quel isolement ici et quelle paix avec la sensation de n'avoir autour de soi, de tous côtés, et indéfiniment, que le linceul du désert,* ou encore *virginité, immuabilité intemporelle, cela veut dire, bien sûr, hors du temps, mais, plus encore ici, avant le temps.* Minna eût encore été première en récitation si elle était restée là-bas, toujours petite fille, rêvant de ce Mahmoud, en réalité Isabelle, qui avait trouvé un amour puisque c'est l'épouse Ehnni que l'oued avait noyée. Mais ses parents l'avaient vendue, elle, la cinquième, la plus belle, et Minna veut dire la droite, la perfection, la pureté, sous prétexte de suivre des études, à un protecteur, fonctionnaire, diplomate à Paris, qui avait déjà femme et enfants, la logeait hors de chez lui, rendait visite régulièrement. Minna devait toujours être prête. Elle avait quatorze ans.

Le premier soir, dans la nuit de la chambre 13, après le départ de Caron, Minna, et elle n'avait jamais trouvé d'équivalent exact pour son nom et tout ce qu'il contenait, insistant sur le double *n* pour rendre un peu de l'accent de son pays d'origine, s'était rendue compte qu'elle n'avait connu, cloîtrée, surveillée, jalousée, que cet homme, héros de la révolution de là-bas, couvert de blessures, âgé et vaillant, qui ne faisait que s'assouvir avec elle, pourvoyant l'argent, subvenant à ses besoins, la faisant passer pour sa nièce, la couvrant de bijoux en toc. Jusqu'au jour où il lui avait dit « il faut que tu rentres chez toi. Tu n'es plus assez fraîche pour moi ».

Le premier soir, dans la nuit de la chambre 13, il y avait sur la table de chevet le billet d'avion pour Alger. Tout s'était passé cinq jours auparavant. Le billet était périmé. Elle était là. Et dès son arrivée à l'hôtel Styx, le paysage de la mer, vu de la chambre, de ce côté-là et indéfiniment, n'avait pas été sans lui rappeler le *linceul du désert* et sans éveiller en elle le sentiment de vivre encore *avant le temps*, comme une enfant. Il y avait eu du chevauchement avec Caron-le-gratis, Caron-la-peau-douce, et déjà, Hermann, l'homme de la 14, tapait sur le mur, donnait des petits coups rythmés, comme un prisonnier dans sa cellule envoie un message à son voisin. Elle était son Mahmoud. Elle était Isabelle. Elle devenait Minna. Il y aurait la visite de Hermann, aussi, troisième homme de la troisième partie de la nuit et de sa vie.

Caron est allé ramasser le collier. Il lustre sa moto. Minna lui dit « tu m'emmèneras faire un tour ? » Caron répond « c'est interdit ». Minna fera la moue, mais c'était peu son genre, « alors tu viendras cette nuit?» «Et Hermann?» «Jaloux?» Caron haussera les épaules, «il faut que j'aille tondre le gazon. Je viendrai. Ce sera payant.» «Combien?» «Ta peau contre la mienne.»

Sur la terrasse, devant le salon bleu, il y a une table de six, qui sont-ils, de quelles chambres et quels sont leurs prénoms? Il y a une table de quatre, Gisèle, Dora, Claire et le professeur qui a accepté, pour un *omnia amor*, de les rejoindre. Gisèle a fait les présentations, «demandez à Claire qu'elle vous parle de sa maison de *La Capte* et de son chat Mercutio», puis «demandez à Dora l'heure exacte de Tokyo, en ce moment». Une bonne humeur régnait. Madame apporta des biscuits et le thé. Le professeur pensa «je suis à la fois combattant et battu d'avance». «À quoi pensez-vous?» demanda Dora.

Samuel, accoudé à son balcon, regardait les tables en contrebas, latéralement, si loin de tous finalement. Caron passait une tondeuse parfaitement silencieuse, laissant derrière lui un tapis de velours strié, allers et retours, une habitude. Jacqueline, sous la tonnelle, essuyait ses lunettes et parlait avec l'Irlandais de la chambre 8 qui, l'avant-veille, s'était présenté au petit déjeuner uniquement pour dire qu'il ne connaissait que dix mots, «maybe twelve», de français. Le professeur se mit à parler de son violoncelle, « je le tenais comme ça, légèrement appuyé sur mon genou droit. Je faisais alors gravement chanter mon bel instrument ». Il mimait.

Le professeur fredonnait une mélodie et, les yeux fermés, donnait des coups d'archet imaginaires. Les inconnus de la table de six le regardaient. Dora, au déjeuner, avait taché sa robe avec la sauce de la poularde. Ça ne partirait pas. Et elle se sentait mal à l'aise à cause de la tache. « À quoi bon désormais ? » pensa-t-elle en souriant. Presque un plaisir. Celui de la revanche ? Claire murmura « pourquoi nous obliger à nous rencontrer ? Je ne voulais plus voir personne ». Le professeur jouait toujours sa sonate. Un pitre. On eût dit brusquement Samuel. Le professeur avait une manière obscène d'écarter les jambes pour tenir le violoncelle imaginaire, un doigté passionné, trop appuyé, et une manière de lancer son corps avec l'archet qui faisait penser à une étreinte. Dora se leva, « j'ai à faire dans ma chambre ». Claire se leva, « je vais me promener ». Le professeur continuait, les yeux fermés, ivre de lui-même. Gisèle resta à la table. Le professeur parlerait-il après ? Et elle n'était pas sans être fière de l'avoir convaincu de se joindre aux autres.

À la table de six, on se regardait, on s'épiait, on se passait l'assiette de biscuits secs, parfois on demandait «un sucre ou pas du tout?», ou encore «un nuage de lait?» Quelqu'un avait répondu «une larme, merci». L'Irlandais se leva brusquement sous la tonnelle, riant aux éclats, un rire d'ivrogne des pubs de Dublin, un rire de buveur de bière, alors que l'alcool, hormis le vin à table, était interdit à l'hôtel Styx, au même titre que les appareils photos, les walkmans, les radios portatives et les caméras. Le souvenir de toutes les bières d'une vie l'avait certainement soulevé de douleur et de rire. Qu'avait dit Jacqueline? Le géant, d'un saut, franchit la haie de troènes et le muret pour disparaître en contrebas. Jacqueline s'était remise à nettoyer ses lunettes, les avait chaussées, ajustées et avait croisé les bras d'un air sévère. Sans doute le cri de joie de l'Irlandais se moquant d'elle avait-il alerté les clients. Le professeur arrêta de jouer. Il regarda Jacqueline sous la tonnelle, puis Gisèle «qui c'est, celle-là?» «Elle est très gentille. C'est Jacqueline. Personne ne veut jamais lui parler. Je me dis que c'est à cause de ça qu'elle est ici.» Il y eut un silence. Gisèle précisa «de toutes les façons, quoi que nous disions, chacun ne saura jamais rien de l'autre. On peut inventer, provoquer. Tout sera oublié. Ainsi, je...» «Non, dit le professeur, s'il vous plaît.»

Un vent se leva qui venait du large. Un vent plus frais avec promesse d'orage. Le chapeau d'une dame de la table de six s'envola. Caron le rapporta. Très vite les nuages envahirent le ciel et il se mit à bruiner. Chacun regagna sa chambre. C'était la fin de l'après-midi.

8.

Le dîner. Tout le monde avait pris place. Chacun dépliait sa serviette. Julien, sous la table, venait de compter ses cigarettes. Il ne lui restait plus que quatre Silk Cut bleu, une pour après le dîner, dans le salon du milieu, pour l'infusion et quelques conversations, et trois pour la chambre, nu, allongé sur son lit, porte-fenêtre ouverte sur le balcon, à regarder le plafond, à écouter le fracas des vagues, à attendre que la fraîcheur du soir le fasse frissonner. Alors seulement il se glisserait entre les draps du lit, se calerait la tête dans l'oreiller et s'endormirait petit à petit à l'appel d'Elsa, sa mère, pour de douces retrouvailles. Le paquet de Silk Cut bleu était fini? C'était donc pour cette nuit? Au moment où il déplia la serviette à son tour, rituel, regards échangés, la dame dont le chapeau s'était envolé avant l'orage se pencha, compta et recompta les convives, « nous ne sommes que dix-sept avec vous, Madame. Il en manque un ». « Ou une », remarqua Samuel. L'humour n'était pas de mise.

La table embaumait, tourte aux asperges, canard aux figues, sabayon. Madame se redressa et dit « il y a un nouveau, un homme jeune, Wilfrid, chambre 7. Il ne peut pas se déplacer. Un accident. Il marche à peine. Il prend les repas dans sa chambre. Une exception. Mon mari a beaucoup hésité. Wilfrid insistait depuis cinq ans. Il a fait toute une rééducation pour venir. Caron s'occupe de lui personnellement. Vous savez tout. Servez-vous, les tourtes vont refroidir et ce sont des asperges sauvages ». Samuel dit « les asperges sauvages n'ont pas le même goût que les asperges d'élevage ». Le professeur sourit malgré lui, « soyons amis ». Les deux hommes se regardèrent intensément.

La dame dont le chapeau s'était envolé dit « ma grand-mère disait : chapeau vole au vent, vie s'envole prestement. Vous croyez aux dictons ? » Il y eut à nouveau un silence. Quelqu'un lança « rien n'est plus futile qu'une décision importante ». Quelqu'un d'autre répliqua « il est si facile de refuser les choses qu'on ne nous propose pas ». « Proposer ou imposer ? » demanda le professeur.

L'Irlandais demanda à Julien, son voisin de droite, de lui traduire ce qui se disait. Julien s'essaya puis renonça. « It is too complicated », c'était trop compliqué, « and not very important », et cela n'avait que peu d'importance.

L'Irlandais se tourna alors vers sa voisine de table, Claire, qui ne mangeait pas. Il prit les couverts de Claire, découpa un morceau de tourte, et la lui tendit, à la becquée. Ils échangèrent un sourire. Tous souriaient. Jacqueline, en bout de table, s'adressa à Madame « on peut rendre visite à Wilfrid ? » Madame répondra « il ne le souhaite pas ». Quelqu'un dira « pourquoi le faire attendre ? Pourquoi nous faire attendre ? » Madame se lèvera pour changer les assiettes.

Ce fut le dîner des sourires et des débuts de conversations qui avortaient les unes après les autres. La dame dont le chapeau s'était envolé avant l'orage raconta qu'après que son mari l'eut quittée, « il y a bien longtemps, j'étais encore jeune, j'aurais pu refaire ma vie », elle avait pris une échoppe et s'était employée, « j'étais mon propre patron », à la restauration des porcelaines, terres cuites, assiettes, soucoupes, vases, tasses et pièces de forme, « j'excellais dans la re-création du décor final, l'art de faire disparaître les défauts, le ponçage et vernissage des cheveux. J'atteignais une perfection. Quand on me portait des chandeliers en faïence, par exemple dont une branche avait été visiblement recollée, je regardais tout de suite si la colle était ancienne ou moderne. Il me fallait atteindre l'invisible, l'insoupçonnable. On venait me voir pour ça. Or les colles modernes sont plus redoutables que les colles anciennes. Je me suis souvent, avec des colles récentes, blessée au scalpel». Elle montra ses mains, le dessus puis le dessous, bien à plat devant elle. On les regarda poliment. Personne ne fit de commentaire.

Sur ce, l'Irlandais prit la parole, avec un air de voler au secours de tout le monde, non sans avoir demandé à Julien et à Claire de traduire au fur et à mesure ce qu'il avait à dire. Volait-il avant tout au secours de lui-même ? Il avait été acteur. Il avait joué une pièce d'O'Neill à Broadway, sans succès, et deux pièces de Dylan Thomas dans son pays. Il suffisait alors, disait-il, de beaucoup boire avant d'entrer en scène. Puis il avait trop bu. Une réputation d'ivrogne s'était formée autour de lui. Ne trouvant plus d'emploi, il s'était mis à vendre sa voix pour la post-synchronisation des films pornographiques, pour les respirations de plus en plus saccadées, les râles de plaisir, les cris rauques de l'extase. Pour cela, il n'avait pas son pareil. On l'appelait de Los Angeles ou de San Francisco pour doubler une *série*. Il avait alors de l'argent pour quelques mois. Une *série* à nouveau, un autre contrat, il faisait carrière. Il gémissait de jouissance pour les autres. « Do you like that story ? » « Ça vous intéresse ce que je raconte ? » traduisit Claire. « Énormément », dit Samuel. « C'est une fable », remarqua le professeur. « C'est répugnant », murmura Jacqueline. Madame avait fait semblant de ne pas écouter. Le silence retomba. Le canard aux figues était délicieux.

Julien remarqua que Minna laissait des traces de rouge à lèvres sur sa serviette. Dora vérifia si la tache, sur sa robe, était encore visible. Gisèle eut un bref instant l'impression d'avoir trop cruellement quitté son Alexandre. Le professeur se demandait si les dames, à l'heure du thé, s'étaient rendues compte, au froissé de son pantalon, de son érection quand il avait fait semblant de jouer du violoncelle. Samuel dit « j'avais deux cousins célibataires, à Chicago. Ils attendaient le magot. Les tantes émigrées mouraient les unes après les autres. Quand la plus riche est morte, ils ont décidé de s'instruire et surtout de savoir tout, absolument tout, ce qui se passait dans le monde. Ils se sont donc abonnés à tous les journaux du monde. Chaque matin, on déposait des sacs devant leur maison. Six mois plus tard, on les a retrouvés dans un intérieur bondé de piles de quotidiens et de magazines, asphyxiés par l'odeur d'encre et de papier ». Madame se leva sans rien dire, fit le service des assiettes, on passa au sabayon. Gisèle dit « le canard était vraiment délicieux, Madame ».

Au dessert on entendit le bruit des cuillères et des petites fourchettes. Quelqu'un dit, le vieux de la 5, celui qui pourtant ne parlait à personne, «nous sommes tous des lâches». «Une autre fois, lança Samuel en ricanant, je vous raconterai l'histoire du couple qui faisait l'amour dans les toilettes d'une gare qui ne fermaient pas. Moi, à côté, j'étais en train d'uriner, fasciné par la poignée de la porte, retenue de l'intérieur, bougeant par à-coups. C'était bouleversant.» «Assez», dira Madame. Le vieux de la 5 marmonnera «tout revient toujours au lubrique, c'est tragique».

Le professeur dira à son tour «il faudra donc que je vous conte le constat d'adultère que j'ai accepté de faire pour un de mes élèves. Il s'était marié trop jeune. Sa femme, disait-il, était une *pondeuse*. Il n'avait pas vingt-cinq ans et déjà cinq enfants. Sa femme refusait le divorce. Elle vivait avec un jeune illusionniste qui n'a jamais fait carrière. Les frères de mon élève avaient refusé d'aller *constater*. Et moi le frère suprême, l'idiot de la famille humaine, j'ai accepté. C'était avant l'aube, forcément. Il fallait les surprendre endormis. En très grande banlieue. Nous ne nous disions rien dans la voiture. La chaussée était de velours, l'air de novembre duveteux, tous les feux passaient au vert devant nous comme pour nous faciliter l'étrange tâche. Nous sommes entrés par effraction par la cave. Nous avons surpris les amants. Elle criait en murmurant pour ne pas réveiller les enfants *salaud, salaud, salaud*! Elle me donnait des coups de poings là, et là. Elle pleurait. Ils ont divorcé. Mon élève a épousé une autre femme, la même, le même genre, une autre *pondeuse*. À trente-deux ans, devenu professeur de khâgne, mon élève au physique d'ange a récupéré tous ses enfants, onze, l'aînée s'appelait Bérénice, et il a acheté une ferme où il élève ses enfants, des lapins, des oies, des poules et des faisans. Je l'ai perdu de vue ».

Le vieux de la 5 répéta « nous sommes des lâches ». Jacqueline fut la première à se lever de table, « vous êtes fous ». Julien alluma une ciga-rette. Claire avait mangé de bon appétit. Gisèle prit le bras de Dora. L'Irlandais émit des bruits de gorge, des râles d'extase, des gloussements rauques de jouissance. Ce qui fit sourire le pro-fesseur, rire Samuel. « Au salon », dira Madame.

9.

Madame portait le plateau avec les infusions. Hermann, entre le salon bleu et le salon jaune, adossé au chambranle de la porte, attendait, bien planté sur une jambe, l'autre repliée, bras croisés. Elle lui glissa en passant « merci de n'avoir rien dit pendant le dîner ». Il répondit « j'aurai une chambre à lit double ? » « Peut-être. » « Peut-être oui ou peut-être non ? » « Oui, Hermann. »

Elle l'avait appelé par son prénom et, cette fois, ç'avait été presque un aveu. Elle manqua de renverser les pots d'infusion en posant le plateau sur un guéridon. Madame était donc si troublée ? Hermann lui rappelait ce beau gaillard de Roger, au temps de leurs fiançailles. Ainsi, le temps passe et les impressions premières demeurent intactes. Un rien de baroudeur et d'enfantin à la fois venait de rappeler Madame à l'ordre de ses illusions amoureuses d'antan. Hermann l'observait avec un peu d'ironie, le regard certain parce que la réponse avait été « oui », tout plein de lui-même, également ému, finalement, puisqu'il était demandeur.

Madame servit l'infusion, rituel du soir, une obligation qui n'avait pas été formulée, mais il allait de soi que le mélange d'herbes favorisait un sommeil prompt et radieux. Tout le monde en prenait. Sauf Madame, « car j'ai encore beaucoup à faire ». Le professeur, sans doute soucieux de se réhabiliter, cita Nerval dans *Les Chimères, et j'ai deux fois, vainqueur, traversé l'Achéron*. « Le quoi ? » demanda Gisèle. « Le *Styx*, en grec c'est l'*Achéron* », répondit Jacqueline avec fierté, bouffée de chaleur, timidité, le professeur enfin la considérerait-il ? Ses lunettes s'embuèrent. « Pourquoi *deux fois* ? » murmura Dora. Le professeur haussa les épaules d'un air de dire que l'explication n'en valait pas la peine. Samuel reprit de l'infusion. Hermann but la sienne. La dame dont le chapeau s'était envolé somnolait. Le vieux de la 5 lui proposa son bras, « je vous raccompagne ». Minna en profita pour s'éclipser. Julien écrasa le mégot de sa cigarette. Il n'en restait plus que trois. « Tu fumes beaucoup, fiston », lui dit Hermann. Julien ne répondit pas.

Julien se dit que le texte de sa vie était une bien petite histoire sur un bien grand sujet. Son grand-père italien, le papa d'Elsa, avait pour exprimer le même sentiment, sans doute, une expression lapidaire qui revenait sans cesse dans sa conversation, *siamo stracotti*, nous sommes faits, fabriqués, plus que décidés d'avance, poussés par les événements, même pas bousculés. Comment trouver l'équivalent en peu de mots? Le grand-père, comme Madame, roulait le *r* de *stracotti*, claquait aussi le *c* comme un *k* et les deux *t* comme un crachat, les dents en avant. Le jour de l'enterrement de sa fille, il avait demandé à Julien de lui tenir la main, au cimetière. Il répétait de manière rageuse *siamo cotti e stracotti*, foutus, nous sommes archi-foutus.

«Alors fiston? répéta Hermann, tu faisais moins de manières avec Jonathan, hier.» Julien quitta le salon jaune, traversa le salon rose où Jacqueline venait de prendre place afin de surveiller les allées et venues. Caron passa devant Julien dans le hall, «bonsoir», «bonne nuit», Caron avait adressé comme un clin d'œil à Julien, puis il avait grimpé trois à trois les marches de l'escalier. Julien attendit un instant qu'il n'y ait plus de bruit dans le couloir du haut et monta furtivement. Il frappa à la porte de la chambre 7. Pas de réponse. Il entra. La porte-fenêtre était ouverte. L'homme était assis sur le balcon, un plaid sur les jambes, des cannes de chaque côté du fauteuil. «C'est vous, Caron?» «Non, c'est Julien. Un client de l'hôtel. Pardon. Je voudrais fumer mes deux dernières cigarettes avec vous.»

Julien était debout, devant l'homme, sur le balcon. Il lui tendit la main, « c'était plus fort que moi, je voulais venir. C'est pas facile pour moi non plus ». L'homme était presque aussi jeune que Julien, un autre jeune homme. Il dit « je m'appelle Wilfrid et c'est moi, ça ! » Wilfrid arracha le plaid de ses genoux, deux jambes artificielles, cuir et armature de métal. « Sectionnées, dit-il, pas dans une course automobile. C'est ce que j'ai dit à Madame. C'est une autre histoire. Je peux avoir une de tes cigarettes ? Je ne fume pas, mais ça aidera. Prends la chaise du bureau. » C'était un tutoiement pour l'âge, une douceur pour la nuit, « j'ai vingt-cinq ans et toi ? » « Vingt. »

On entendait la mer, on ne la voyait pas. C'était nuit d'encre. Montait de la pelouse une odeur d'herbe coupée. Julien se pencha pour allumer la cigarette de Wilfrid puis s'assit, alluma la sienne, il tremblait un peu. « Je t'attendais, dit Wilfrid, toi ou un autre, quelqu'un à qui parler. » Il y eut un silence. Wilfrid ajouta « c'est ce que Verlaine a dit à Rimbaud en ouvrant sa porte : je vous attendais. Je ne suis pas Verlaine, tu n'es pas Rimbaud. Je n'ai pas pu me lever pour te saluer. Caron était pressé ce soir. Elle est vraiment si belle que ça, cette Minna, avec deux *n*, m'a-t-il dit ? » « Jolie. » « Dis-moi encore. » « Elle a de longs cheveux noirs, des yeux noisette, très dessinés. Elle doit se mettre

du khôl. Elle a une peau d'ambre. Elle est géné-
reuse devant. Un peu trop derrière.»
«Encore.» «Son parfum est celui du musc.
Elle est d'Afrique, via Paris. Je ne sais rien
d'autre.»

«Je l'ai guetté, dit Wilfrid, mais elle ne vient
jamais sur la pelouse.» «Elle est toujours derrière, avec Caron. La moto de Caron, toujours
un boulon à resserrer, un chrome à faire rutiler.
Chaque jour il la nettoie, à cause des embruns.
Minna, assise sur les marches du perron, le
regarde faire. Une éternité déjà, en quelques
jours.»

«Mon père est américain. Il est avocat à New
York. Les avocats, là-bas, c'est comme des rats.
Ma mère est autrichienne. J'ai été éduqué chez
des curés en Suisse, puis en Belgique, puis en
France. Bon débarras. L'odeur de l'encens et
celle du grésil. Tant de collèges. Ma mère est
antiquaire, quai Voltaire. Elle vend du *viennois*.
C'est très coté. Elle vend des terres cuites de
Goldscheider, du mobilier contourné, des vaisselles de prince, des bronzes dorés surchargés.
Elle vend. Elle vit. Elle a sa vie. Elle ne m'a
jamais pardonné d'avoir grandi. Mon père, lui,
venait une fois l'an. La dernière fois, il y a cinq
ans, je venais d'être reçu à ma licence de lettres
modernes, d'où Rimbaud et Verlaine, on fait
avec ce qu'on sait, même si ça ne vous ressem-

81

ble pas, le sentiment est indifférent. C'est le même. Je t'attendais, tu sais.»

Ils fumaient tous les deux lentement. Il y avait de la cérémonie sur le balcon, dans l'ombre sombre de la nuit. Wilfrid remit le plaid sur ses genoux. Julien le disposa pour cacher l'armature métallique qui tenait captives les fausses jambes cuirassées, chaussettes et chaussures à épaisses semelles.

«Ici, je reste dans la chambre, le paysage suffit, je ne mets plus de pantalons.» Il retroussa sa chemise. Il était nu en-dessous, imberbe, peau de porcelaine. Julien vit son nombril, rond, dodu, parfait. «J'étais, dit Wilfrid, de bonne fabrication. J'avais toutes les filles qui me voulaient, des éternités à chaque fois, comme tu disais.»

«Mon père m'a demandé ce que je voulais qu'il m'offre pour la licence. J'ai dit une moto. Je n'y avais pas pensé. J'en n'avais pas vraiment envie. Mais je l'avais dit. Il a choisi la plus belle. Avec deux casques. Il disait, fierté de père jeune vieux-beau, que j'allais faire des *conquêtes*. C'était en juin. Il repartait le lendemain dimanche pour New York. Il n'avait même pas vu ma mère. Il m'avait dit de l'embrasser de sa part.»

« Le samedi soir, je passais la soirée avec Colombe, oui, elle s'appelait Colombe, la fille d'un architecte, fine, blonde. Une passagère de plus. Nous sommes allés à une soirée B.C.B.G. dans une propriété près de Rambouillet. Nous sommes restés la nuit à l'écart, dans le parc et la musique au loin. C'est beau, une maison éclairée dans la nuit. Ce fut l'aube. Nous sommes remontés dans la maison, ébouriffés. Il y avait encore quelques couples qui dansaient, très enlacés mais timidement. C'était leur affaire. Leur interdiction de s'émerveiller, leur falbalas de morale. On servait le café. Colombe en but trois. J'en bus trois. Nous étions ivres l'un de l'autre. Pour la chamade. Rien de plus pour elle, rien de plus pour moi qu'un beau moment, sauf que, sauf que... »

Wilfrid se pencha latéralement, écrasa sa cigarette sur le dallage du balcon, « tu me ramasseras le mégot ? » « Promis. » Julien tira encore une bouffée de la sienne, se brûla les doigts, jeta sa cigarette nerveusement et se leva pour l'éteindre du bout du pied, ramassa son mégot, celui de Wilfrid et les mit dans le paquet vide de Silk Cut bleu, un trophée.

« Tu vas voir, ce sera un accident sans obstacle. Pas d'assurance. Pas de remboursement. Le fric du père, celui de la mère. Et bon débarras. Une suite d'hôpitaux comme une suite de collèges, avec cette fois les odeurs d'éther et de balatum. Colombe, pour le retour, n'a pas voulu mettre son casque. Elle voulait que ses cheveux claquent au vent. Elle garderait son casque au bras. C'est lourd, ces motos-là, faut être habitué et faut vraiment être un peu impuissant. C'est pas mon cas. Tout marche encore. Ça oui, ça marche. »

« Sur l'autoroute, nous roulions bien. L'air sentait les feuilles du matin. J'imaginais la chevelure de Colombe fouetter au vent. J'allais de plus en plus vite. Elle se tenait à mes hanches. Brusquement, et en même temps, la même fraction de seconde certainement, j'ai voulu juste tourner la tête pour voir ses cheveux au vent et elle m'a serré à la taille, sous la ceinture. La sangle du casque a roulé sur son bras et, comme j'avais tourné la tête du côté du casque, la moto s'est déséquilibrée. J'ai freiné, j'aurais pas dû, et ce fut le vol plané. Je regardais la moto glisser sur l'autoroute. La voiture qui nous suivait n'a même pas eu le temps de ralentir, elle est passée sur mes jambes. J'ai souvent rêvé depuis que c'était l'avion de mon père qui me broyait les jambes en décollant. »

Il y eut un silence. Julien se leva et, accoudé au balcon, respira profondément. Wilfrid dit « douceur ou douleur c'est la même chose. Le réveil fut doux. On m'avait coupé les jambes ». « Et

Colombe ? » demanda Julien. « Je n'ai jamais su. Son père, l'architecte, est venu, lui, me voir, il pleurait. Mon père n'est jamais revenu. C'est une infirmière de nuit, au bout de sept mois, qui m'a donné le numéro de l'aiguilleur. Une intérimaire. Je ne me souviens même plus de son visage. »

« Et ta mère ? » « Elle a eu peur de moi. C'est mon père qui a payé le fauteuil, la rééducation, les prothèses. Les autres fuient. Ou, s'ils viennent, ce sont eux qui créent ton personnage. Pas toi. Et puis te réveiller chaque matin en ayant oublié que tu n'as plus de jambes, parce qu'en rêve je courais encore, c'est rude. Je voulais venir *ici*. Tu es comme avant, me disaient les imbéciles, les affectueux, les fidèles, les mobiles. J'entendais leurs pas dans le couloir, à l'arrivée, et au départ. Tout le monde marchait, c'était fou. Pour *ici*, j'ai décidé, j'y suis arrivé. Je suis là. Le paysage, regarde, et c'est celui dont je rêvais. Et toi ? » « Moi ? Rien, murmura Julien, mon histoire c'est rien. » « Comment s'appelait-elle ? » « Elsa. » « Elle était belle ? » « Très. »

Un petit vent se leva. C'était le début de la marée haute. Vers l'aurore, il y aurait du fracas. « J'ai un peu froid, dit Wilfrid, peux-tu me porter jusqu'au lit ? » Julien prit Wilfrid dans ses bras. Les cannes tombèrent par terre. Wilfrid dit « je suis lourd comme une moto toute neuve,

85

pas vrai ? » Julien coucha Wilfrid, « tu peux m'aider à retirer mes jambes, la nuit ça fait mal. Tiens, en voilà une », puis « prends l'autre », et « en général c'est Caron qui le fait ».

« Il faut que j'aille me coucher », dit Julien. Wilfrid le retint par le poignet, « tu m'accompagneras à l'obélisque demain ? » « Demain ? » répéta Julien. « Quelqu'un y est allé aujourd'hui. Je ferai pas le con, promis. Et puis je mettrai mes pantalons, on croisera peut-être Minna. Tu me la présenteras ? » « Oui », murmura Julien. « Alors embrasse-moi en frère. » Julien l'embrassa sur la bouche. Un baiser bref, sinon.

10.

Jacqueline avait été la dernière à aller se coucher. L'air pathétique, elle avait dit à Madame une de ces phrases ambiguës dont, à l'arrivée, dans la fourgonnette blanche, elle avait donné des exemples qui n'avaient pas été sans inquiéter son hôtesse. Madame s'était dit que Roger perdait un peu la main et qu'il y avait de la lassitude dans ses choix.

« La solitude est une réalité féconde qui rapproche souvent des humains sensiblement très différents et divise des humains sensiblement du même bord. » « Calmez-vous, Jacqueline. Il est temps d'aller vous coucher. » « Vous souviendrez-vous de ce que je viens de dire si je pars cette nuit ? » « Je me le rappellerai. » « C'est que... » « Allez dormir, Jacqueline. Il y a des jours où je ne comprends pas très bien moi non plus. » Pour cet aveu ébauché, presque connivent, Jacqueline avait quitté le salon jaune, « ils sont tous là-haut. Ils dorment. Et moi ? »

Madame avait alors vérifié si le lave-vaisselle était bien en route et préparé les couverts du petit déjeuner. Elle ferait la mise en place au dernier moment, juste après les travaux de cave, comme d'habitude. Elle éteignit les lumières de la salle à manger, des trois salons et du hall. Elle ferma à clé les portes du hall, côté jardin et côté perron, petite lumière de la sonnette de nuit que jamais personne n'avait utilisée. Quel bruit faisait-elle donc ?

Elle entra dans son bureau, puis dans son appartement privé. Caron n'était toujours pas redescendu. Elle passa devant le *salon des décisions* et entendit à l'étage au-dessus les cannes de Wilfrid tomber sur le dallage du balcon. Madame se dit que Caron couchait Wilfrid, s'étonna qu'il ne soit pas déjà avec Minna. Dans sa chambre, côté Gisèle, à la 1, pas un bruit, elle dormait ; côté Samuel, à la 2, le vieux prenait un bain. Elle entendit le clapotis dans la baignoire, une lointaine mélodie fredonnée, grave et rituelle, comme un appel. Elle eut juste le temps de se déshabiller, d'enfiler sa chemise de nuit et sa douillette, le téléphone sonna.

Elle alla décrocher dans le *salon des décisions*, s'asseyant dans le fauteuil de son père, héritage de l'hôtel Bellevue, alluma la lampe sur le bureau voisin, papier et crayon pour prendre des notes. Roger dit «comment va ma petite biche, ce soir?»

Madame hésita. Roger ne l'avait pas appelée sa *biche* depuis la naissance de Caron, mauvais signe. Elle opta pour un humour qu'elle ne prisait guère mais qui parlait à son homme, «ta vieille bique se porte comme elle peut. Décision: personne demain». «Mais il y en a deux, des gros. Ils ont déjà leurs billets. Lucien doit passer les prendre tout à l'heure.» «Annule.» «Des ennuis dans la cave?» «Non, annule!»

Roger prit son ton guilleret, le ton de mauvais augure des jours de bordée, les jours de contrepets, «dès que l'on touche à son petit banc l'enfant boude». «Non pas ça, pas ce soir.» Roger poursuivit une fois «au fond, l'odeur du quai n'est pas désagréable», puis «il m'a promis son tennis», et «les saleurs touchent le thon avant de l'ouvrir».

Madame se fâcha, «arrête, je ne comprends rien». «Écoute celui-là, c'est Lucien qui l'a trouvé: dans ce siècle de perdition, toutes les jeunes filles doutent de leur foi.» «Tu sais très bien que je n'aime pas ça.» «Et: ce pichet a une belle mine, tu me suis?» «Qu'est-ce qui ne va pas, Roger?» «Klempe a été arrêté hier à Amsterdam. Sa fortune, donc une partie de la nôtre, a été saisie. La dernière cargaison de

89

15 000 fûts pour le Nigéria a été interceptée. Le journal du soir titre *l'empereur déchu des déchets*. La Jaddy Walt de Milan, la Capday de Chypre, et la Gravewerk du Lichenstein sont poursuivies. Autant dire que nous n'avons plus de bas de laine. Même le Cresco de Gibraltar a craqué. J'ai sablé le champagne tout seul. Les deux de ce soir, il faut que tu les prennes.» «Ni demain, Roger, ni après-demain, ni dans trois jours. Je veux mettre de l'ordre dans cet établissement. Tu donnes dans le flou en ce moment. Où est passé le bon temps des grands de ce monde?» «Ils ne payent plus, ma biche.» «Personne demain, l'hôtel est complet.» «Ad vitam aeternam?» «Quoi?» «Je t'appellerai demain.»

Madame prit son plan d'étage et raya quatre noms, au hasard. Quatre, c'était le maximum pour une nuit. Caron venait de redescendre. Elle l'appela, «dans une heure, au travail». «Combien?» «Quatre.» «Quatre?» «Et quatre demain, quatre après-demain, je te préviens tout de suite.» «Qu'est-ce qui se passe» «Tu peux préparer ta moto, et ton magot.»

Elle se retira, ferma la porte de sa chambre au nez de Caron. Caron remonta pour passer encore une heure avec Minna. Sait-on jamais?

Madame brancha le réveille-matin pour qu'il sonne une heure plus tard, bip-bip discret qui ne risquait pas de donner l'alerte à l'étage. Toujours aussi peu de bruit à la 1, Gisèle ; silence absolu à la 2, Samuel ; rien à signaler à la 3, Claire dormait toujours la première, douce et secrète, décidée et rayonnante, une vraie bonne cliente dont Madame eût souhaité qu'elle se mêlât et parlât plus aux autres afin de leur donner l'exemple strict de la joie simple du *départ* souhaité. C'était là fierté de tenancière qui veut trop jouer son rôle. Madame convint avec elle-même que Claire n'avait su que se manifester sans éclat et avec une sincérité désarmante. Dans la fourgonnette blanche, le matin de l'arrivée, Claire avait raconté qu'elle était déjà partie de chez elle, l'avant-veille d'une fête, en laissant un petit mot, *je reviendrai.* Elle était revenue. Elle s'était retrouvée comme avant. Pierre son mari, comme avant. Martial, Margot et Marc ses enfants, comme avant, « comme quand je n'avais plus aucun rôle à jouer, incapable de distraire et de me distraire, ratant même les bons gâteaux que je savais faire avant, quand ça galopait dans mes pattes ».

Qui donc se trouvait à la 4, à la 6, à la 11 et à la 15 ? Madame reprit en main le plan de l'étage. À chaque numéro de chambre, un nom, un visage, une vie, le même désir de *partir* et un souvenir flou, incapable qu'elle se sentait désormais de tout gérer, de tout savoir, d'aider tout le monde en rendant simplement le séjour plaisant. Roger avait donc mal placé l'immense fortune accumulée. Le monde entier ne voulait plus de ses ordures ? Quelle importance ? C'était l'affaire de Roger et de ses balivernes. Elle en était presque à se réjouir de la mauvaise nouvelle et à en être moins fâchée que du *ma biche* et des contrepets. Roger était victime de sa balourdise et d'une ambition dont il n'avait pas les moyens. Madame, elle, par la grâce de cet hôtel, avait joué les prolongations depuis dix-sept ans. C'était bien ainsi. Allongée, guettant l'heure, incapable de prendre un repos, elle s'abandonna à toutes sortes de pensées furtives, passant de l'idée de revanche de son amour floué par Roger à la possibilité de donner une chambre à lit double dès le lendemain à Hermann, songeant aux rougets tout frais venus du Midi dans la nuit et qu'elle préparerait en papillottes. Tout avait la même importance, elle régnait encore.

Elle s'assoupit quelques minutes, mi-consciente, songeant à l'histoire scabreuse de Samuel dans les toilettes d'une gare, excité par les mouvements saccadés et de torsion d'une poignée de porte, sans loquet intérieur, derrière laquelle un couple se faisait l'amour. Samuel n'avait pas précisé s'il avait attendu que le couple sortît afin de *voir* leurs visages, pour ensuite encore mieux imaginer l'étreinte. Ainsi donc, le sentiment en soi, un émoi, était déjà une forme de voyeurisme. Comme la lecture d'un livre quand on imagine. Comme l'écoute d'une musique quand elle parle, on se dit alors qu'elle a été écrite pour des ébats. Comme la vision d'un film qui brusquement montre et raconte la vie que l'on aurait voulu vivre. On ne vit que la vie des autres, ou la vie rêvée, jamais la sienne, et on part sans avoir laissé de traces.

Madame défit son corsage en imaginant que ses mains étaient celles d'Hermann. Elle s'endormit. Une heure plus tard, le bip-bip retentit. Le réveil sonna. Caron frappa à la porte, « je suis prêt ».

11.

Jacqueline n'était pas là. Minna non plus. Et Claire, qui était toujours la première au petit déjeuner? Julien fit le compte : ils étaient quinze, avec Madame. Madame avait placé Hermann à sa droite et lui avait dit à voix basse «vous pouvez passer de la 14 à la 13». Régnait ce matin-là une atmosphère de déclin puisqu'il n'y avait pas de nouveaux venus, comme une faille, manque à savoir et à écouter une ou un autre, vague sentiment de plus pressant compte à rebours et de dernière bordée.

Dehors, une épaisse brume. Par les portes-fenêtres de la salle à manger, on distinguait à peine la tonnelle. Le soleil déjà perçait à l'horizon de l'est et on pouvait voir, de la table silencieuse, la brume s'effilocher. Madame dit «la journée sera belle». Puis «pour le déjeuner, je vous préparerai des rougets en papillotes». Rien ne sonnait comme la veille. Les confitures avaient un goût plus acide, les brioches tièdes n'avaient pas la même saveur. Julien vérifia s'il avait bien dans sa poche le paquet de Silk Cut bleu et ses deux mégots. Il ne tarderait pas à rejoindre Wilfrid. Le petit déjeuner devait durer un certain temps, le temps pour Caron de faire les chambres et les lits. Claire était donc partie, et Jacqueline et Minna. Julien imagina que Caron ne faisait pas le ménage de bon cœur.

Le professeur dit « c'est un matin comme je les aime. Une journée encore, un seul jour pour toute une vie ». Madame le stoppa du regard. Le professeur dit « pardon, je parlais avec mon cœur. Je lève ma tasse de café noir en hommage à celles qui sont parties cette nuit ». Personne ne bougea. Madame allait parler mais ne dit rien. Elle avait sans doute l'expérience de ce genre d'incident qui survenait quand personne n'arrivait et quand d'autres étaient partis, expérience qui datait d'il y a longtemps, premiers mois de l'exploitation de l'hôtel, les clients ne se pressaient pas encore, le numéro de téléphone n'avait pas assez circulé. Roger était très strict sur le tri. Depuis dix-sept ans, elle n'avait pas été confrontée à une si belle brume matinale et à un tel silence, des départs, pas d'arrivées. C'est Samuel qui donna le signal en levant sa tasse. Et tous firent de même, l'Irlandais en riant, Hermann pour ne pas être de reste, Hélène maladroitement, Dora en tremblant un peu, les autres mécaniquement et Julien en dernier. Samuel dit « faut jamais demander pardon, professeur, pas ici, encore moins ici. Le pardon, ça me connaît, ça me parle. L'humanité est impardonnable». Le professeur répondit «merci Samuel. Parce que la journée sera belle, parce que j'ai envie de demander pardon à Jacqueline, elle voulait tant nous parler, parce que j'ai si souvent refusé le bonjour alors que mon enseignement visait à le donner plus largement, j'ai sur le cœur, et je me répète, oui Madame, je suis ému, et je ne suis pas le seul ici, les dernières paroles d'un opéra d'un certain Rossini qui n'était pas aussi frivole qu'on le prétend encore. C'est dans *La Gazza ladra*, *La Pie voleuse*. Aidez-moi, Dora, à traduire au fur et à mesure, *ecco cessato il vento*». Dora dit « voilà, le vent a cessé». Le professeur poursuivit *«placato il mare infido: salvi siam giunti al fido»*. «L'infidèle mer s'est calmée : nous touchons sains et saufs au rivage.» *«Alfine respira il cor.»* «Notre cœur respire enfin.» «Quelle connerie», lancera Hermann. Le silence retombera un peu plus doux parce que tendu et à nouveau fervent. «Merci, Dora», murmurera le professeur. La dame dont le chapeau s'était envolé la veille dira de sa voix un peu acidulée «un jour de plus, pour moi c'est une épreuve. Le dicton d'hier, je l'ai inventé, pour vous, Madame. Je pensais vous convaincre. Je ne tiens pas tellement à ce que se reproduise ici ce que je viens de fuir. Faut-il que je vous raconte ma vie?» Et elle se leva si brusquement qu'elle renversa le restant de sa tasse de café sur la nappe et sa chaise bascula. Elle se dirigea vers le salon bleu. « Les chambres ne sont pas prêtes, remarqua Madame, mais vous pouvez sortir dans le parc. » Le vieux de la 5 voulut la suivre. Elle dit « vous ? Laissez-moi tranquille ! Ce n'est plus de mon âge et vous me rappelez Germain ».

Elle ouvrit une porte-fenêtre, traversa la pelouse et se réfugia sous la tonnelle. La brume s'était dissipée. Il faisait soleil. Madame se leva, fit le tour de la table, redressa la chaise, saupoudra de sel la tache sur la nappe. « Je refais du café ? » demanda-t-elle. Hermann s'étira sur sa chaise, jambes tendues, les mains derrière la nuque. L'Irlandais eut le hoquet, dit « sorry » et se mit à rire. Gisèle prit sa chaise et alla s'assoir près de Dora, « Germain ? » Dora haussa les épaules. Le professeur fredonna le dernier air de *La Gazza ladra*. Samuel mangea de la confiture de rhubarbe à la cuillère, « ça me rappelle mon retour de déportation ». Au premier étage, les portes claquaient. Caron était vraiment en colère. Madame dit « je ne peux rien faire de plus pour vous ». Julien répondit « croyez-vous ? » La conversation s'arrêta là.

La porte entre le salon bleu et le salon jaune était fermée, signe d'interdiction. Il fallait attendre encore au moins une heure. Madame desservit la table, l'air détaché. D'où venait cette inquiétude qui brusquement régnait ? D'elle ?

De l'absence d'arrivées ? Hermann et l'Irlandais commencèrent à faire des mouvements de gymnastique sur la pelouse. Julien retira la chemise de Jonathan, la posa sur le dossier d'un fauteuil bleu et les rejoignit, torse nu. « Il est si jeune », dira Gisèle à Dora. Dora répondra « à son âge, je rêvais déjà d'être ici ».

« Je ne comprenais pas pourquoi mes parents s'aimaient et se déchiraient pareillement. J'étais fascinée par la dureté de leur amour, terrorisée, et cela m'émerveillait. Il y avait quelque chose d'irréductible et d'indicible entre eux, comme un accord de tacite reconduction de tendresse et de violence extrêmes. Surtout l'été, Villa Picino, quand nous étions seuls, tous les trois. J'étais leur témoin privilégié, unique raison de leur couple, tout devenait dur et bouleversant. À ce jeu de leur amour, ils gagnaient tous deux en beauté ; Nadja ma mère par secret attachement et féroce coquetterie ; Jorge mon père par fureur de ne pas avoir ses amantes sur place et volonté de vaincre, d'insinuer, de dominer, comme la Villa Picino. Quand j'ai accepté d'épouser Karl je pensais qu'il me ferait vivre la même histoire, me rendant de plus en plus à mon être. Mais il était calme, pervers de manière anodine. Avec lui, j'ai perdu l'éclat de mes rêves. En Suisse, dans un certain milieu, on ne peut plus rien imaginer de spontané sur le moment. On subit de suite le regard des autres. Notre cercle d'amis était restreint. J'étais déterminée à ne pas avoir d'enfant : je ne voulais pas refaire une petite fille comme moi, pardon, je parle trop. » « Pas pardon, dit Gisèle, Samuel l'a dit. Parlez-moi de la Villa Picino. Il y avait une terrasse, dominant la mer ? »

Petite, boulotte, plutôt bien conservée, Madame, petite femme brune qui entre enfin dans son histoire après y avoir entraîné tant d'autres comme elle, respectable femme bafouée, secoue la nappe à la porte-fenêtre, « des miettes pour les oiseaux », pense-t-elle. La dame de la 11 s'approche, « je peux vous aider à la plier ? », puis « faites-moi partir vite, je vous en prie, Madame, sinon je vais raconter mon histoire et je veux m'en aller avec elle ».

Samuel et le professeur s'étaient installés pour une partie d'échecs. Le professeur dit « j'y ai joué avec mon père de sept à douze ans ». Samuel se moqua « voyons, professeur, vous allez me battre ». Le professeur murmura « mon père est mort, j'avais douze ans. Et je parle de lui ? Jouons ! »

Le monsieur de la 4 dit à la dame de la 6 « heureusement que nous leur échappons ». Ils étaient assis sur le canapé, face à la cheminée. La dame de la 6 répondit « des questions et des réponses, c'est lassant, c'est *la loi de l'offre et la demande,* aurait dit mon époux comme le jour où son usine, notre usine, a été rachetée, mise en faillite puis bradée ». « Qui êtes-vous ? Je suis arrivé après vous. » « Vous d'abord. » « Je m'appelle Nazareth. Je suis arménien. Je suis né dans le quartier de Tchalba à Erevan. Le quartier pauvre. Nous mangions l'*adz,* un pain de maïs, orange comme le drapeau de notre pays. Après, j'ai beaucoup voyagé. Rien que pour le goût de ce pain-là, je voyagerais encore. Je suis vieux, plus vieux, plus vieux que ce fou de Samuel. J'ai fui un hospice où mes petits-enfants m'avaient placé, me laissaient tendrement mourir, lentement. La tendresse alors est une crampe. La prison pour les vieux ? Je voulais un peu de confort, je règle ici le problème. Allons marcher, voulez-vous ? » « Je m'appelle Isabelle. » « Bonjour, Isabelle. »

Caron sortit de l'hôtel et traversa la pelouse, alla droit vers la cabane à outils, sans saluer personne. Le premier étage était enfin libre. Julien quitta Hermann et l'Irlandais, reprit sa chemise dans le salon bleu, s'épongea le buste, ouvrit la porte du salon jaune. Dans le salon rose il courait déjà, il avait rendez-vous avec Wilfrid. Il grimpa quatre à quatre les marches de l'escalier, tourna à gauche, dans le couloir, chambre 7, la porte était ouverte, la pièce était vide. Lui aussi ? Jacqueline, Minna, Claire et Wilfrid ? Quatre !

Julien donna des coups de tête et de poings contre le mur du couloir.

Samuel qui allait chercher ses lunettes dans sa chambre passa près de Julien et lui dit d'une voix trop nette « pas de ça, jeune homme, pas de ça ici », et « votre place n'est pas ici ». Julien courut dans sa chambre.

12.

Julien prit une feuille de papier et écrivit « chère Man, chaque fois que je t'écris je me sens innocent. La nuit dernière, j'ai rêvé que tu me portais dans ton ventre. J'étais le poisson de toi. Je t'accompagnais partout. Je me tenais recroquevillé en dormant, pelotonné sur moi-même. Ce que j'entendais était flou comme si, dans la poche première, ce bocal de ta peau, cette outre, tu avais voulu me prévenir du danger futur des mots et des gestes. Ce fut quoi, ma délivrance ? Petit à petit me faire à l'idée de vivre à côté, détaché de toi ? Apprendre les mots adultes distinctement, et les gestes précisément ? Faire mes premiers pas et voir, devant moi, tendue, ta main secourable ? J'ai grandi, hors de toi. Tu es partie trop vite. Les mots me jouent, ici, le mauvais tour de dire clairement ce qui ne peut s'exprimer que confusément. Ne t'impatiente pas. J'arrive. Je te rejoins... »

Julien prit une autre feuille, « Man, j'ai arrêté de grandir à l'instant même de ton départ. Mais j'ai décroché le gros lot, je suis à l'hôtel Styx. C'est une question de jours, et même d'heures. J'avais un rendez-vous, aujourd'hui. L'ami Wilfrid est parti dans la nuit. Oui, la nuit dernière, j'ai rêvé que j'étais dans ton ventre, proéminent, protégé, encore ta fierté. Je sais que tu n'aimais pas que je t'écrive. Tu me grondais quand, le soir, je glissais un petit mot doux sous ton oreiller. Celui de droite. Celui de gauche était celui du père. Combien de fois t'ai-je entendu dire que ce n'était pas digne d'un grand garçon comme moi, que j'avais l'âge de raison depuis longtemps, que je ne deviendrais jamais un *géant de toi* si je t'aimais tellement ? Chaque fois tu inventais. Tu me voulais fort et autre. Je demeure fort et tien. Après ton départ, j'ai vu des médecins, des psys, j'étais un cas, un cas facile, pour eux ce n'était rien de grave. Ça passerait avec l'âge. Avec la puberté, a dit l'un d'eux. Si j'ai connu des jouissances, elles ne furent que solitaires. Même avec une ou un autre, c'était toujours toi, jamais aussi plein et contenu que dans ton ventre. Tu es mon refuge, ma raison d'être et de ne pas être. J'arrive... »

Julien prit une troisième feuille et repartit à l'assaut, « Man ! Voici que mes lettres avortent. Je les écris dans un désarroi qui n'a rien que d'ordinaire, conscient du fait que tu ne les liras pas et que je ne te retrouverai jamais. Je suis incapable d'oublier nos jours heureux, ta volonté farouche de m'éduquer pour que je me sépare de toi, l'extrême clarté de ton regard quand tu te penchais sur mon berceau, le soin particulier que tu prenais à mon corps quand tu me baignais, la soif que tu avais de me prévenir et de m'expliquer, la curiosité qui te poussait à m'emmener très jeune au théâtre, au concert, dans les musées, partout où il y avait de quoi jouir et apprendre. Plus tu me projetais hors de toi, ne m'as-tu pas appelé un jour *ton petit météore*? plus je m'ancrais en toi. Je suivais l'itinéraire inverse. Tout ce que tu me montrais du monde et de la vie, des usages et de l'actualité m'effrayait. Il n'y avait de sûr que toi. J'étais ton fils. Ça, c'était sûr, plein, rond, douillet, plaisant, irremplaçable. À force de me prévenir et de m'instruire, tu m'as attaché, ligaturé, caparaçonné certes, et finalement lié à toi pour une éternité que les mots, ici, ne contiendront jamais. Comment parler d'une mère qui, en souhaitant votre évasion, a organisé votre perpétuité ? Tu me manques, Man. Je voulais aller me promener avec Wilfrid parce qu'il avait les jambes coupées et qu'il marchait quand même, comme moi. Je me suis laissé toucher par Jonathan parce qu'il se savait irrévocablement miné par un mal, comme moi. Je ferais n'importe quoi pour une cigarette. Je vais aller voir Caron, c'est le fils de Madame, un autre fils, comme moi... »

Julien prit une quatrième feuille, « chère Man, dès que je t'écris, je m'égare, tu me troubles et je me perds. C'était bon, la nuit dernière, quand j'étais encore dans toi en proue. Je ne t'ai même plus devant moi. Une simple névrose, a-t-on diagnostiqué. Pour eux, tout est simple. Tu m'as dit un jour, et je crois que tu le regrettais au moment même où tu me le disais mais ne souhaitais-tu pas que je te fuie, que je devienne un autre, pour mieux me tenir ? que, lorsque j'étais né, je n'avais pas crié, le cri du bébé, et qu'il avait fallu me réanimer. La phrase est bancale. Tu es l'infinie parenthèse de ma vie. C'en était donc fini de nous deux ensemble ? Ce fut pourtant une belle liaison, une surprenante étreinte. Après, tu m'as montré le monde tel quel. Si je n'ai pas crié, c'est que je ne voulais pas d'une autre histoire que la nôtre, neuf mois de liaison. Tu ne recevras donc jamais ces lettres et puis elles te fâcheraient. Il me faut des cigarettes ».

Dans le salon bleu, c'est toujours la partie d'échecs. Samuel et le professeur ont inévitablement parlé politique. Le professeur vient de dire, des politiciens de tous bords, « au lieu de s'engager dans la voie de la réalité, ils s'engagent dans la voie de la rivalité et des impossibilités. Quand donc comprendront-ils qu'ils sont également citoyens ? » Julien s'approche et demande de l'argent, « c'est pour des cigarettes. Caron les vend très cher ». Le professeur dit « jamais

Samuel et moi n'avons d'argent. Il n'y en a d'ailleurs pas ici, en principe. Il n'a plus cours». Julien insiste, « c'est pour écrire à ma mère. Je ne peux pas écrire sans fumer». Samuel lui donna deux gros billets, des francs belges. « Vas-y, petit, écris quand même, on ne sait jamais. »

« Chère Man. Quand tu recevras cette lettre il sera toujours trop tôt. Je te l'ai écrite cent fois depuis que tu es partie. Et... » Julien prend une autre feuille. Les cigarettes que Caron lui a vendues sont fortes, il respire, il tousse, il écrase la cigarette. « Man, en fait quand je leur parlais, ils ne comprenaient pas, ils faisaient semblant ou bien, s'ils écoutaient, ils se disaient que c'était obscène et banal. Leur loi du *ça passera*. Je te voyais partout, dans la foule, dans le métro, dans le journal, à l'écran, je te cherchais dans les regards des autres et surtout dans leurs silences. Le père n'a rien compris lui aussi, ni de toi ni de moi. Si je m'appesantis, je suis perdu... »

Isabelle et Nazareth sont assis sur le muret de l'autre côté de la haie de troènes. Isabelle parle, « quand je me suis retrouvée seule dans cette grande maison, je ne voulais plus des objets qui avaient vu notre vie commune. J'en ai vendu. J'en ai échangé. Et je me suis mise à en acheter. À en acheter! À en acheter! Les brocanteurs m'avaient à l'œil. J'étais une bonne cliente.

Ainsi, pour combler je ne sais quoi, certainement pas l'absence de mon époux, l'homme de toutes les faillites, je me suis entourée de tant et tant d'objets, trop d'objets, meubles, tableaux, vaisselles, tapis, bibelots, rideaux. J'ai même changé de lit. Il me fallait tout, tout ce qui se présentait pourvu que chaque achat soit une dépense. Je dépensais. Le meilleur et le pire. Je composais un décor excessif qui me racontait mille et une autres histoires muettes, secrètes, qui demeureraient inconnues. Peut-on dire de rideaux ce qu'ils ont vu, où et quand ? Peut-on savoir ce que des vaisselles ont entendu ? J'ai fait entrer une foule chez moi. Et j'ai quitté un souk. L'aiguilleur est mon héritier. C'est mon contrat de départ. À force d'acheter, je n'avais plus d'argent. Bien sûr, j'ai une nièce. Je ne l'ai pas revue depuis son mariage. Elle doit être grand-mère ». Il y eut un silence. Nazareth regarda Isabelle, « moi, je n'ai jamais rien possédé que ma valise et mon espoir ». Il se retourna vers la mer, « mon espoir de quoi ? » Il souriait.

« Man. C'est la troisième cigarette. Des Bastos infectes. Cela me fâche, voici l'aveu que je te dois. Oui, j'ai fait partir mon père. Oui, c'est moi, l'enfant fou. Oui, j'ai fait le contraire de ce que tu souhaitais que je fisse. Oui, j'ai fait semblant de ne jamais t'écouter quand tu me disais que tu ne supportais plus ma violence. Plus tu me repoussais, plus je courais vers toi, me cognais, butais. Plus tu m'éduquais, plus je m'obstinais à n'être que l'enfant du début, du tout début. Oui, je t'ai ravi le père. L'oreiller de droite était toujours le tien, et tu dormais, je t'ai surprise, l'oreiller gauche contre ton ventre. Chacune de mes paroles était un dernier combat pour te garder à moi seul, ensemble aussi. Pourquoi t'es-tu tranché les poignets, à genoux, bras ballants dans la baignoire, un matin, peu après mon départ pour le lycée? Pour me dire une fois pour toutes d'être un autre que toi? Tu as échoué. À vite nous revoir, comme on dit, quand on croit qu'on revoit les siens après le grand départ. Je t'aime.»

Caron entre dans le bureau de sa mère. Elle trie le contenu des quatre panières de la nuit. Caron dit «avec Minna, c'est comme si tu m'avais volé ma moto. Je la voulais, cette fille, un jour de plus, c'est tout». «Tu serais parti avec elle?» «Pourquoi pas?» «Descends les paniers à la cave.» «Salope, charogne, choucas!» «Continue, je suis habituée, c'est ce que ton père me disait. Il me giflait aussi. Gifle-moi!» Caron s'approcha de sa mère et la frappa deux fois, de chaque côté du visage comme s'il avait voulu l'assommer. Madame se redressa avec naturel et fierté, «tu commences par le panier de Wilfrid. Les jambes et les cannes, dans le compresseur d'abord, et dans le broyeur ensuite, comme d'habitude. Je m'occuperai du panier de Minna, avec toi on ne sait plus ». « Pourquoi n'y a-t-il pas eu d'arrivées ce matin ? » « Klempe est en prison ! »

Sous la tonnelle, la dame de la 15 s'était assoupie. Le grincheux de la 5 la reprit d'assaut, s'agenouilla à ses pieds, lui saisit les mains. Elle se réveilla. Il dit « voulez-vous que j'aille chercher votre chapeau ? Il n'y a pas de vent aujourd'hui ». Elle répondit « laissez-moi », puis « vous n'êtes qu'un morpion ».

Dans le bosquet, derrière la cabane à outils, Gisèle ramassa quelques violettes, Dora trouva une fraise des bois, Hélène s'approcha d'elles, « je peux rester avec vous. J'ai peur de m'éloigner seule ». Qui était qui ? Que sait-on de l'autre même lorsqu'il a parlé ? La nature amicale est bien oublieuse. « Allons plus loin, proposa Dora, je suis sûre qu'il y aura d'autres fraises sauvages. »

Hermann et l'Irlandais dormaient sur la pelouse, torses nus, au soleil, les bras relevés, les mains derrière la nuque. La dame de la 11 frappa à la porte du bureau de Madame, elle désirait un verre d'eau. Julien, assis en bas de l'escalier, attendait le retour de Caron, son paquet de Bastos à la main. Il voulait les échanger pour des blondes à filtre, même douze, même six. Dans le salon bleu, le professeur fit échec et mat. Samuel rit aux éclats, «petit cachottier de professeur, je le savais, tel père, tel fils!» Le professeur essaya de se souvenir ne serait-ce que du visage de son père. Il ne voyait plus les traits, seulement un regard, lointain, vaguement.

13.

Caron allait remonter. Madame tria en vitesse le panier de Jacqueline, des vêtements stricts, un sac à main genre besace, passeport, carte d'identité, chéquier, carte de crédit, carte de famille nombreuse SNCF, un peu d'argent qu'elle mit de côté. Elle jeta le tout avec les lunettes, une photo de promotion de l'École nationale supérieure de Sèvres et un exemplaire d'*Être et Temps* de Heidegger annoté à presque chaque page, livre étrange dont elle essaya de lire quelques lignes, et en marge, *l'être-là, Dasein : libérer la parole de son caractère usuel ; c'est poétiquement cependant que l'homme habite cette terre, Hölderlin.* Dans les affaires de Jacqueline, rien que d'ordinaire. Caron emporta le panier. Madame se dit qu'elle irait inspecter les quatre chambres libérées. Elle ne faisait plus confiance à Caron. Dans la colère, il avait pu laisser une boucle, un message, un peigne. Madame a aimé les gifles de son fils, un souvenir de Roger, enfin.

Dans la panière de Claire, il y a un chemisier couleur feuille d'automne que Madame garderait bien, mais pas de trace, au panier. Pourquoi sommes-nous toujours à rêver d'une vie autre que celle qu'il nous est donné de vivre ? Ce chemisier a très exactement les coloris d'un été en automne, une nostalgie sans tristesse, une passion sans heurts, une ardeur sans excès. Madame le reprend au fond de la panière, le secoue comme s'il était chargé de poussière, ôte son bustier et l'enfile. Elle le gardera. Il lui va trop bien. Il la met en valeur. Elle le portera pour le dîner. À sa souvenance, la 3, cette Claire dont elle n'avait pas aimé la sérénité doucereuse lors de l'arrivée, « cette fois, Madame, je sais que je ne reviendrai pas. Par mon absence, ils pourront mesurer ce que fut ma présence, cette dévotion. Ils m'ont dévorée », n'avait jamais mis ce chemisier devant les autres clients de l'hôtel. Caron l'avait-il vu en faisant le vide de la chambre ? Dans la panière, il y aura, en vrac, un programme de concert, concerto pour piano de Bartok, quatrième symphonie de Bruckner, la photo d'un chat noir sur le seuil d'une maison de vacances, un dossier plein de lettres enflammées d'un certain Neguib, dossier jeté, photo jetée, programme déchiré. Madame fit une boule des autres vêtements, ceinture, twin-set, escarpins, sac dans lequel il n'y avait pas d'argent, trousse de toilette, eau de Cologne, des tubes, pas de médicaments, deux ou trois breloques, le tout vraisemblablement emporté à la hâte, désormais livré au panier.

Caron tardait. Madame se dit que la 3, cette Claire, avait eu une manière trop sûre de parler de *dévotion* et surtout de se croire *dévorée*. Pour qui se prenait-elle ? Une femme pas comme les autres ? Avec ce regard radieux, presque joyeux de jouer à nouveau un tour aux siens, avec certitude de non-retour ? « Ce que j'aime dans votre entreprise, c'est qu'il y a disparition et qu'ils pourront m'attendre toujours. Pas de traces. Mon père m'avait donné une ardoise magique quand j'étais petite. Il m'avait conseillé d'y noter toutes mes mauvaises pensées et, clip-clap, de les effacer aussitôt. Il appelait ça *l'ardoise tragique*. Depuis, j'écris sur des morceaux de papier. Je les déchire. Parfois j'en oublie, la plupart du temps volontairement, pour que quelqu'un les trouve, sur une banquette de train, sur un comptoir de café, ou même dans des vêtements neufs, dans les Grands Magasins, il a dû y avoir des réclamations. »

Il y a une poche au chemisier, une poche avant sein gauche et un papier dedans. « Tu es bien étourdie, pense Madame, comment as-tu pu tenir cet établissement ouvert tant de temps ? » La 3, cette Claire, avait dit *votre entreprise*, quelle sotte ! Madame déplia le papier et lut, en haut, *je n'aime pas les destins singuliers*, au milieu *je n'aime pas le Destin*, et, en bas, *la foule est équivoque*. Caron entra. Elle déchira le papier. « Tiens, prends le panier de l'idiote. »

« Tu as un nouveau chemisier ? » « Tu le sais ?
Tu te tais ! » Caron expliqua son retard. Le compresseur s'était coincé, « les cannes et l'armature
des jambes de cuir. J'ai tassé un peu. Tu as
entendu les coups de marteau ? » « Non. Il y a
encore le panier de tes rêves mais je m'en occuperai. » « Je t'interdis ! » « Dépêche-toi, j'ai le
déjeuner à préparer. » Caron, dans le couloir,
donna un coup de pied dans la porte de la cave.
Vlan !

Pour le panier de Minna, Madame chercha
l'argent, c'est tout. Les vêtements sentaient
l'Afrique, parfums lourds et prenants. Ils étaient
sales, roses, rouges, pourpres avec parfois du fil
d'or, et il y avait des petites culottes en dentelle
noire, indécentes. Tout cela était affriolant.
Était-ce ce qu'il fallait porter pour séduire ? Elle
jeta trois livres d'une certaine Isabelle Eberhardt
et la photo jaunie d'une tombe devant un pal-
mier. Elle jeta un coffret à bijoux plein de col-
liers en toc et un beauty-case regorgeant de
rouges à lèvres, de fards à paupières, de fioles,
de mascaras et de crèmes régénératrices amin-
cissantes, revitalisantes, d'entretien et de coups
d'éclat, elle qui ne s'était jamais maquillée. « Je
te veux nature », lui disait Roger.

Madame a fini de trier le dernier panier. Elle le
descend à la cave, croise Caron dans l'escalier,
« il y a quelque chose qui cloche en toi, maman,

ces temps derniers. Je ne crois pas à l'histoire de Klempe ». « Prends ta moto, va acheter les journaux. Moi aussi, je me méfie de ton père. »

Le puits, au fond de la cave, est profond. Il a la hauteur de la falaise et débouche dans une grotte immergée à marée haute. Du temps de l'hôtel Bellevue, il servait aux ordures. Depuis que l'hôtel Styx existe, il sert également aux cendres et résidus pulvérisés. Il faut simplement attendre que la mer monte. Madame jette le contenu du panier de Minna dans le four. Elle a fait ce geste des milliers de fois. Elle craint toujours les retours de flamme.

Dans un coin, l'un dans l'autre, il y a les quatre paniers vides pour la nuit suivante. Madame remonte, ferme la cave à clé, passe dans sa chambre, remet son bustier et suspend le chemisier pour le grand soir. La moto démarre. Elle va inspecter les chambres et préparer le déjeuner. Dans le couloir du premier, elle voit sortir Hermann de la 14, ses affaires sur le bras, torse nu, un tatouage à l'avant-bras gauche. « Attendez. » Elle entre dans la 13, ouvre et ferme les tiroirs et les placards, regarde sous le lit, jette un coup d'œil sur la terrasse, fait un tour minutieux de la salle de bains et sort dans le couloir, « vous pouvez y aller ». Hermann lui dit « merci. Vous viendrez me voir ? » Madame ira à la 17 au bout du couloir, sans répondre, émue et souveraine,

souveraine et tenancière, tenancière et incrédule. Elle se dira « tu es folle, ou quoi ? »

Gisèle, Hélène et Dora reviennent de promenade. L'Irlandais dort toujours sur la pelouse. Hermann, intégralement nu, prend un bain de soleil sur la terrasse. Gisèle dit « c'est indécent ». Dora répond « je ne trouve pas ». Hélène murmure « chacun fait comme il veut ». On voit Julien au loin, près de la stèle. Il s'est assis en tailleur. Il fume lentement une cigarette. Le professeur le rejoint. Samuel apparaît au balcon et suspend ses serviettes de bain. La dame de la 15 est allée chercher son chapeau. Elle lit un livre, assise à une table, devant le salon bleu. La dame de la 11 s'approche d'elle et lui demande si elle peut s'asseoir à la table. Elle tremble un peu en demandant. Elle prend place. Elle dit « je voudrais tant partir la nuit prochaine ». La dame de la 15 ne répond pas, remet son chapeau en place pour avoir les yeux à l'ombre et reprend sa lecture. « Vous lisez quoi ? » La dame de la 15 montre la couverture, titre inconnu. « C'est beau ? » Silence. Où est passée Isabelle ? Où se trouve Nazareth ? Où se cache le grincheux de la 5 qui voit des lâches partout ? On entend du bruit dans la cuisine. Madame prépare les rougets en papillotes. Se répand déjà un parfum de tarte aux pommes. Dora dit « j'ai faim », Gisèle répond « si les genêts sont en fleur, il doit y avoir aussi des mimosas. Nous irons plus loin après le repas, voulez-vous ? » Dora s'arrêtera, une poignée de fraises sauvages à la main, se tournera vers Hélène, « et vous d'où venez-vous ? »

14.

Hélène dit « j'ai menti depuis que je suis ici, j'ai raconté n'importe quoi ». Dora et Gisèle l'entraînèrent sur la petite terrasse, devant le salon bleu. Dora offrit des fraises sauvages à la dame de la 15, « non merci, j'ai peur de salir mon livre », et à la dame de la 11, « comme c'est gentil, je vais faire un vœu, ce sont les premières de l'année ».

Gisèle alla chercher une carafe d'eau, du sirop de mandarine et trois verres à la cuisine. Elle dira à Madame « quelle belle journée, les genêts sont en fleur ». Madame répondra « le temps, ici, est toujours clément ». Rien que d'ordinaire alors que Madame contenait une frayeur dont elle se demandait s'il s'agissait de colère, contre Roger ? contre Hermann ? contre Caron ? contre elle-même ? Elle venait de renverser une bouteille d'huile d'olive et de se blesser au doigt en coupant les tiges d'aneth pour les papillotes.

Hélène, Dora et Gisèle se retrouvèrent à la même table. Elles trinquèrent. À la table voisine on les épiait, la 15 sous son chapeau, la 11 en regardant le ciel, bras croisés, l'air distant. Dora dit à Hélène « maintenant, la vérité ! » Gisèle répéta « oui, la vérité ! »

« Je suis, murmura Hélène, une repentie comme on dit. » Elle regarda la table voisine, « je suis peut-être même encore en train de vous mentir. Si chacun se raconte, on croit d'abord, d'abordage, à l'abordage de l'autre, une forme de piratage, les pirates de l'hôtel Styx... », elle rit, sa voix avait pris de l'assurance, « on croit que l'histoire de l'autre va différer. Non, c'est toujours la même histoire, le père, la mère, les enfants ingrats, le mari, l'amante, le solitaire, le bonheur pas assez vécu en temps voulu, on est et on a tout cela à la fois. Dans le monde tel qu'il est, cloisonné, on est devenu tout le monde et personne. Vous ne savez rien de moi ? Je peux donc mentir encore. Je n'existe vraiment que dans la mémoire de ceux qui ont cru m'aimer et que j'aimais un peu, à chaque fois, par tendresse, par pitié, par orgueil, c'était selon. »

La 11 et la 15 étaient encore plus impatientes que Dora et Gisèle. Hélène défit deux boutons de son corsage, tendit son visage, ferma les yeux au soleil, puis regarda ses amies, « qu'est-ce que je pourrais bien inventer? La vérité? L'école communale de Vitry-Saint-Four, ça vous intéresse? J'étais la septième de huit, est-ce important? Mon stage chez une modiste de Villeneuve, j'avais quinze ans, le néant? Puis Paris, logée chez une de mes tantes. J'ai travaillé chez un fleuriste comme bouquetière d'abord et je suis revenue aux rubans et bibis excentriques chez Fazel & Cᵒ fournisseur des music-halls. La suite, vous la connaissez déjà, c'est une histoire de quatre sous. J'étais jolie. Si jeune. J'avais un protecteur, l'assistant d'un producteur. J'ai fait mes débuts sous le nom de Bella Spring. J'avais de faux papiers, pour l'âge. Je suis montée en grade, j'ai quitté Maurice pour Milou, et Milou pour Antoine qui en réalité s'appelait Raymond. Vous me suivez?»

L'Irlandais se réveilla, fit quelques mouvements de gymnastique et se dirigea vers sa chambre en traînant sa chemise dans l'herbe. Isabelle et Nazareth rentraient. C'est la dame de la 11 qui leur fit signe de s'approcher et de se joindre au groupe. Hélène les salua. Gisèle apporta d'autres verres et une grande carafe d'eau. Assis sur le seuil du hall, profitant du soleil, Caron feuilletait des journaux, il en avait une pile. «Je croyais que c'était interdit», glissa Nazareth. «Chut, fit Dora, nous vous écoutons, Gisèle.»

« J'ai changé sept fois de nom, Colombe Zéa, Marie Star, Lucy Bergé, Fanny Fox, puis ce fut la guerre, Heidi Welt, et Barbara Witzig. Je chantais faux. Je me déplaçais mal en scène. Sans lunettes, je ne voyais pas le chef d'orchestre. Maintenant, je porte des verres de contact. De contact ? »

Elle regarda l'assemblée, but d'un trait un grand verre d'eau, « en arrivant ici, je m'étais dit qu'il y aurait un piano, et un pianiste pour se souvenir de certaines chansons. J'aurais fait alors mes adieux, mes vrais adieux. Pas ceux de la Libération. On m'a tondue. On m'a poussée de l'avant dans la rue. Tant de crachats. J'y pense à chaque fois que je prends une douche. Je n'ai jamais aimé les bains. On y clapote dans son eau sale. Dites-moi d'arrêter ».

« Vous la connaissez déjà, l'histoire de la femme tondue que l'on se passe de main en main, dans la rue, comme un pantin ? Porte de Pantin ! Elle a une pancarte autour de son cou et un numéro de téléphone, c'est le numéro d'ici. Un rêve de la nuit dernière. Facile ? Vous la connaissez l'histoire de la chanteuse des rues qui passe au café-concert et qui demande qu'on lui porte des gigots, au finale. Elle en a tellement reçu qu'elle aurait pu ouvrir une boucherie. Moi, je n'ai jamais réussi, porte de Passy ! Maurice, Milou, Antoine, Jean-Loup, Popaul,

Balkacem, Ahmed, Riboul, Léon, La Flèche, Toupie, Sucette, Gros-Malin, il y en a même eu un qui s'appelait Vancouver, il ne voulait pas qu'on l'appelle autrement, j'en passe et des plus forts encore, de la fabrication d'avant-guerre. Je chantais faux mais je chantais du ventre. Ce n'est pas la peine de me regarder comme si vous étiez en train de tricoter vous-mêmes vos ponchos. »

Isabelle glissera à Gisèle « je ne comprends rien. Elle a dit des ponchos ? » La dame de la 11 lancera « une cochonnerie de plus ! » « Exact, expliquera Madame en s'approchant du groupe, tout ce dont mon époux raffole. » Dora interrogera « l'aiguilleur ? » La 15 « le papa de Caron ? » Nazareth donnera la clé de l'énigme, vulgaire contrepet, « comme si vous étiez en train de tripoter vos cons chauds ». Madame sourira.

La 11 se lèvera, « je n'aurais pas dû vous écouter », et regagnera sa chambre. La 15 reprendra la lecture de son livre. Madame ramassera les verres, les carafes et la bouteille de sirop, « le déjeuner sera servi dans un quart d'heure ».

Caron, chargé de journaux, rejoindra sa mère pour l'aider à la mise en place des plats et annoncera « la presse parle de Klempe. Papa a raison ». « Cesse de dire papa comme un gosse. » Dora se tournera vers Hélène, « la vérité ? » « C'est la vérité vraie. Et vous ne connaissez pas la suite. J'ai épousé un monsieur comme il faut. Je suis devenue une femme comme il faut. Avec des enfants comme il faut et un appartement comme il faut. » Hélène était devenue presque moqueuse, l'air à la pichenette futile, le sujet peut-être de ce séjour. Dora insistera, « je ne veux pas vous croire ». Gisèle ajoutera « cet hôtel, ce qui s'y passe ne vaut guère plus que le monde que nous voulons quitter ». Nazareth froncera les sourcils. Isabelle s'adressera à Gisèle, « je pense comme vous ». Hélène mettra un point final en avouant « c'était ce que je voulais vous entendre dire. J'ai inventé tout au fur et à mesure. C'est faux. Jeune fille, du côté de Passy, je suis une de celles qui ont craché sur une tondue. Aujourd'hui, je me le suis rappelé, en prenant ma douche. Je voudrais me laver du regard que cette femme m'a adressé quand je l'ai bafouée. On fait donc du vrai avec du faux. Merci de votre attention. Je vais me préparer pour le déjeuner ».

Elle se leva. La 15 fit claquer son livre en soupirant. Isabelle, debout, tendit son bras à Nazareth, « vous m'accompagnez ? » Dora et Gisèle étaient éberluées. « J'y ai cru et vous ? » « Moi aussi, jusqu'au moment du poncho que l'on tricote soi-même », « ne recommencez pas ! »

Le groupe se dispersera. Dans sa chambre, nue, devant le miroir de la salle de bains, Hélène éclatera de rire, rire fou ? rire sain ? Personne ne saurait la vérité, jamais. De qui que ce soit, où que ce soit. Pour le repas de midi, elle porterait sa robe blanche. Hélène tenait le contrepet des ponchos de l'aiguilleur qui, ma foi, l'avait trouvée à son goût. « Vous n'auriez pas été artiste, par hasard ? » Elle avait joué avec lui la bonne humeur. Hélène avait ainsi fâché Madame. Du moins l'espérait-elle. La nuit prochaine serait peut-être la vraie dernière.

Midi. Le professeur est adossé à la stèle. Il cache l'inscription *omnia amor*. Devant lui, toujours accroupi, assis en tailleur, fumant cigarette sur cigarette, Julien l'écoute, tête baissée. Le professeur dit « à votre âge, chaque nuit, je rêvais que je passais des examens et que je rendais copie blanche alors que je savais *tout*. Partez, Julien, il est encore temps, marchez à travers bois, courez, fuyez. Oubliez ce qui vous tarabuste. Allez ! » « Non », répondit Julien.

« Souvent, aussi, je rêve que je suis auteur de théâtre. Chaque soir, je joue deux de mes pièces. Dans la première, on me cherche pour me tuer. On me trouve. On me tue. Dans la seconde, on m'embrasse sur la bouche et je dois m'évanouir. Interrogez vos rêves, Julien. La vie invite, pour moi, je suis ici. Ultime paradoxe. La vie invite, pour vous, partez. *Tout* vous attend, les merveilles de toutes les misères, le privilège de toutes les folies. Vous aimez votre mère ? Aimez-la jusqu'au bout. » « Je reste », répondit Julien.

« Dans mon rêve du théâtre, on ne passe sur scène que par la salle. Entre les deux pièces, à l'entracte, je dois faire le grand tour, sortir et rentrer à nouveau. L'ouvreur me poursuit, me menace en prenant à partie la salle parce que je n'ai pas de laissez-passer. J'ai enfin obtenu ma carte la nuit dernière, tamponnée une fois pour toutes. L'ultime représentation est ce soir. » Julien compta ses cigarettes. Il n'en restait encore une fois que trois. « Rentrons, je vous en offrirai. J'irai voir Caron. » « Je ne comprends rien à vos rêves, professeur. » « On est à la fois auteur et acteur, c'est tout. » « Vous parlez comme les autres. » « Les autres, moi ? »

Les cris des mouettes, les feux du soleil, l'odeur de l'écume, le fracas de la mer en contrebas, le professeur respira profondément, « pour un peu, moi aussi, je prendrais la fuite. Mais je ne m'aime plus. Je n'en peux plus de ne m'être jamais considéré. C'est beau, marée haute à midi. Aimez-vous, Julien, je vous le demande. » Julien pointa du doigt l'inscription *omnia amor*. Le professeur s'écarta. « Et ça ? » dit Julien. Le professeur murmura « c'est entièrement faux, un de leurs mensonges, et totalement vrai, une vérité inaccessible. Ils aiment *ça*». Julien demanda au professeur de l'excuser auprès de Madame, il ne déjeunerait pas. «Si vous fuyez, oubliez-moi.» «Ne vous inquiétez pas, je resterai là, à vue.»

15.

« Faut-il surveiller Julien ? » « Je ne crois pas, répondit le professeur, c'est dommage, un gosse de cet âge, un dommage sans intérêt. Il a de la peine, de la peine amoureuse, et il n'a pas de réduction de peine, pas de circonstances atténuantes, rien n'atténue jamais vraiment, j'ai répété cela toute ma vie. En pure perte ? En pur gain ? Je viens de le lui dire ». Samuel l'interrompit, « vous lui avez parlé dans ces termes ? Il n'aura rien compris ».

Madame a placé Hermann en face d'elle. Elle fait exprès d'éviter son regard, de ne pas lui prêter attention. Aux côtés d'Hermann, Hélène et Dora. Hermann a retroussé les manches de sa chemise. Dora est fascinée par le tatouage, on sent qu'Hélène a triomphé d'elle-même dans une dérision dont elle n'avait jusque-là pas connu l'usage ou le courage. À la droite de Madame, le grincheux de la 5, à la gauche de Madame, Nazareth, ainsi change le plan de table selon l'humeur de Madame, le rite incertain des jours depuis tant d'années. Elle s'arrange pour qu'au cours du séjour, au moins une fois, chaque client soit à sa droite. Et ce n'est pas toujours possible. Alors elle a du regret. Elle aime ce qui est parfait. Le grincheux de la 5 s'adressa au professeur, « tel que je vous devine, en parlant à Julien vous lui avez fait plus de mal que de bien ». Gisèle murmura « un seul souvenir, dans une vie ça suffit ». Dora avoua « à vingt ans j'ai décidé que ce serait Karl, il avait la peau douce, les muscles d'un sportif, les yeux d'un scout, la fortune d'un père, du plaisir à me surprendre et à me prendre, je me disais que ce serait ainsi toute la vie. À vingt ans, on ne prévoit pas le temps, les outrages, les mensonges, l'habitude, ce qui ne se passera que par omission. À vingt ans, j'ai décidé de me marier pour une histoire de corps à corps, de va-et-vient et pour une odeur de peau ». « C'est dégoûtant », dira la 15 en faisant, d'un coup de coude, tomber son chapeau suspendu à un des montants de la chaise.

Nazareth voulut se lever pour le ramasser. La 15 l'en empêcha, « il est très bien par terre, sur le sol, pas plus haut. Les mots vous font grandir de bien curieuses ailes ». Elle regarda Hélène. Il y eut un silence. Les plats circulaient. Tout le monde avait bon appétit. Mais il y avait une place vide. Certains, de leur chaise, portes-fenêtres ouvertes, pouvaient voir Julien, au loin. Isabelle parla restauration de porcelaines. Madame

132

parla plissés en tous genres. Dora dit « je faisais de la broderie ».

« À vingt ans, reprit la 11, la pressée, celle qui veut s'en aller avec son histoire, je rêvais de saluer le monde. Je voulais voyager, voir d'autres gens, d'autres lieux, d'autres coutumes, parler d'autres langues, goûter à d'autres nourritures. Je voulais me régaler et ne surtout pas rester sur place. Ici, je suis sur place, encore. Une vie immobile. Ce soir, faites porter mon dîner dans ma chambre. C'est un ordre, Madame, j'ai payé ! » Elle se leva et quitta dignement la salle à manger. Le grincheux de la 5 fit de même, « j'ai longtemps cru que mon désir de me supprimer n'avait d'égal que mon instinct de conservation. Grave erreur. Tout bascule. Tout s'effondre. Je ne quitterai plus ma chambre, Madame. Tenez-vous-le pour dit ». Il sortit en répétant « tous des lâches ! », suivi de la dame de la 15, chapeau à la main, « je n'aime pas vos cochonneries. À vingt ans, je n'aimais déjà plus les autres. Je n'ai même pas su m'aimer. Et je n'ai plus personne à convaincre de quoi que ce soit. Le repas, dans ma chambre, s'il vous plaît, Madame. Il suffit ».

Madame se tourna vers Hermann, d'un regard l'appela au secours. L'Irlandais gloussa sans raison. Dora, Hélène, Gisèle se concertèrent, « nous ne prendrons pas de dessert, nous attendrons le café au salon ». Nazareth grommela «j'ai de la colère et j'aime ma colère». Isabelle lui dit «fâchez-vous un bon coup». «Et vous?» «Moi? Je me repose. Je sais où je vais. Les repas sont exquis. Le paysage est magnifique. Le petit Julien m'indiffère. Je trouve le professeur flou et Samuel fou. À la rigueur, cela m'amuse un peu. Je n'avais pas pensé à une *mort* amusante.» «C'est un mot qu'on ne prononce pas, ici, Isabelle», remarqua sèchement Madame. «Alors, la *mort* m'amuse. Si ça ne vous ennuie pas, je vous attendrai également au salon bleu. Avant la sieste? Mon petit café!»

Madame se retrouva seule avec les hommes. Le professeur venait de reprendre de la tarte pour la troisième fois. Hermann glissa «il ne manque plus que Caron. Vous avez l'embarras du choix, Madame...» Madame se leva, retira les couverts sales. Il y eut des bruits de vaisselle dans la cuisine. «Elle aussi est en colère», murmura Nazareth. «À vingt ans, avoua Samuel, je rêvais de devenir plus faux que les fourbes. J'ai toujours vingt ans. Toujours le même rêve.» À quoi bon le ton de l'aveu? Les hommes, entre eux, avaient l'air gênés. Hermann échangea quelques mots en anglais avec l'Irlandais. Ils éclatèrent de rire. «Qu'est-ce que vous avez dit?» demanda Samuel. «Ce n'est pas juste!» ajouta le professeur. Ils rirent tous de bon cœur. Madame porta le café au salon bleu. Sans le vouloir, sait-on alors ce que l'on veut, elle frôla, en passant, de sa croupe, les épaules d'Hermann toujours assis.

Au salon bleu, ce qui restait du groupe prit le café. On entendit encore des « à vingt ans moi... », puis Nazareth tranchera « à vingt ans, j'étais un con ! »

Madame disparut puis revint avec Caron, deux plateaux et quatre tasses, le service dans les chambres serait tout de suite assuré.

« Si j'allais chercher Julien ? » proposa Isabelle. « Laissez-le seul », répondit le professeur. Gisèle confia aux autres « je ne sais même plus qui a raconté quoi, c'est comme les tisanes du soir, vivement que Madame fasse le ménage de toutes nos histoires ». Dora, « moi aussi, j'ai le tournis de nous tous ». Hélène ajouta, un peu péremptoire, « nous sommes sur la bonne voie ». Isabelle rétorqua « vous vous êtes moquée de nous tous ». « Si peu. »

Un silence retombera. Le silence d'après les repas quand le jour bat son plein, quand le vent joute avec le soleil, quand des brins d'herbe coupée entrent dans le salon bleu au gré des courants d'air, « encore un peu de café ? » « Oui, merci », « non, pas de sucre », « juste un fond de tasse, comme ça, voilà ». Chacun pense à son histoire qui n'en est pas une, à sa vie qui ne fut jamais la vie rêvée, aux moments de bonheurs et d'éclats, aux rires, aux joies, aux beaux visages d'avant ce qui devait devenir ou un drame ou une cassure, d'avant la décision d'en finir et de partir. Nazareth s'endormira sur le canapé, à côté d'Isabelle. L'Irlandais s'adossera, énigmatique, regard brisé, fin de comédie, à l'embrasure d'une des deux portes-fenêtres. Il se tenait ainsi, même position, même expression, même regard tourné vers le lointain, dans la pièce d'O'Neill pendant le long et plaintif dialogue de la mère. Mais si O'Neill avait vue imprenable sur les coulisses, un mur de briques, des poutrelles, c'était désormais un vrai paysage. Et pourtant, si, en scène, il y croyait, là, il n'y croyait plus. L'illusion était-elle plus prégnante que la réalité ? Et qu'en était-il du chemin de vie parcouru pour en arriver là, dans cet hôtel vrai qui lui semblait plus faux encore qu'un décor ?

Madame passa avec les plateaux vides, à bout de bras. « Plus de café ? Je vous en refais ? » Samuel répondra « oui, du plus fort encore, je veux que mon cœur éclate ! » Hermann sourit. Caron, armé de cisailles, taillait la haie de troènes. Le professeur proposa une seconde partie d'échecs à Samuel, « la revanche ? » Samuel dit « non, j'aime gagner ».

Hélène pensera du professeur « comment un grand homme peut-il être si dénué de grandeur ?» Elle gardera pour elle la pensée, point trop n'en faut le même jour. Sa farce du matin lui donnait un sentiment de distinction, d'altitude. Elle voyait et écoutait tout désormais comme du haut d'un mirador, tendre illusion dont elle tenait à se sentir dupe et captive.

Hermann, brusquement grave et sérieux, se tournera vers le professeur et dira cette phrase peu dans son genre, son style vrai peut-être, «parlez-nous de la vie, professeur, je n'ai connu que l'aventure». Le professeur répondra sur le vif, «la vie ? Tout le monde se tait. Personne n'écoute. Ou alors c'est pour mieux, perpétuellement, renvoyer l'autre à un déchirement que chacun croit fécond, la belle histoire que celle de tous nos abandons». Samuel commentera «donc tout va pour le mieux dans le pire des mondes». La formule n'amusera personne. Isabelle insistera, «parlez-nous encore, professeur. Même si je ne comprends pas toujours, cela apporte». Nazareth se mettra à ronfler. Isabelle lui donnera un petit coup de coude. Tous s'échangeront un sourire, même l'Irlandais dont on eût pu croire qu'il sentait, à défaut de savoir ce qui se disait, le dialogue de toutes les mères, la mise au monde de toutes les paroles.

Le professeur poursuivra. Sa voix sera moins vive, plus réfléchie, l'effet ne sera déjà pas le même, «je n'ai plus rien à dire. Nous venons tous, ici, chercher quelque chose. Notre *Dasein*? Les étudiants, eux, ne venaient *rien* chercher. Ou alors *tout*. Ce qui revient au même ». Silence. « On me prenait pour un anti-conformiste. Cela revenait à un autre conformisme. Je ne peux parler vrai que dans le vertige et l'abandon. Maintenant je *pense*, c'est bien inutile. On ne force pas l'amour des paroles échangées... »

« *Dasein*? » demanda Gisèle. Dora répondit « ça veut dire être-là, ça veut dire la vie, ça veut dire la présence, tout sauf Zurich, tout sauf Karl, je n'existais plus près de lui. Ce n'était pas un *Dasein* avec Karl. *Er war nicht da, selbst wenn er da war!* » « *So bad* », murmura l'Irlandais. « Il n'était pas là même quand il était là », traduisit Hermann. « *So bad*? » demanda Gisèle. « Il a dit que c'était dommage », expliqua Dora. « Et ainsi de suite, de fil en aiguille », dit Madame en posant une cafetière sur la table basse, devant Isabelle et Nazareth. Samuel se servit en premier, « qui d'autre en reprend ? » Madame ajouta « et c'est très bien ainsi, parlez, devisez, c'est la reine du plissé qui vous le dit ».

Il y avait de l'ombre dans sa voix, le début d'une nostalgie, presque un regret, une inquiétude contenue. Elle aurait tant voulu, elle aussi, parler de sa vie de petite main, sa vie d'avant Roger, sa vie d'avant l'hôtel Styx, quand elle passait les étés chez ses parents et circulait dans la région sans se soucier du qu'en dira-t-on, sans cette peur d'un éventuel scandale qui eût été jugé macabre quand il ne s'agissait que de la possible douceur d'un départ, liberté de chacun.

« La vie, osa confier Isabelle, c'était l'affection fictive des objets dont je m'entourais. J'imaginais leurs histoires. Je me perdais en eux. Jusqu'à l'envahissement. » Le professeur murmurera à la cantonade, comme un pan de parole en cours, bribe de son discours, « l'angoisse au plus profond de soi se calme alors tout clame ... » Silence. « Tout demande, tout réclame ... » Autre silence. Puis « je ne pose jamais de questions. Si les autres veulent parler, ils parlent. Si je veux parler, je parle ». « Très bien, lança Hélène, moi, la vie, c'était de lire des petites annonces dans les journaux du style *à vendre robe de mariée (a servi une fois)*, ça oui ! »

Dora se leva, « je vais dormir une heure ». « C'est toujours ça de perdu », répondra Samuel. « C'était bon, pourtant, de se parler un peu », dira Hermann et, se tournant vers l'Irlandais, « *nicht wahr ?* » Pas vrai ?

Hélène sortira la première du salon bleu, suivie d'Isabelle et de Nazareth, « il vaut mieux que vous dormiez dans votre chambre, donnez-moi le bras ». Madame ramassera les tasses, la cafetière, les deux sucriers et les cuillères. Hermann la regardera faire, puis il sortira avec l'Irlandais, dans le jardin, en direction de la tonnelle. Dora et Gisèle, bras dessus bras dessous, les suivront de peu. Samuel frappera dans ses mains, « alors, professeur, content de vous ? »

16.

« C'est combien ? » demanda Hélène à Caron, du haut du perron, assez fort pour qu'Isabelle et Nazareth l'entendent. Caron, accroupi derrière sa moto, se redressa l'air stupéfait, « ce n'est pas ainsi qu'il faut me parler, vous ne le saviez pas ? » Hélène répéta plus doucement « alors, c'est combien ? » Il s'approcha d'elle, les mains sur les hanches, une mèche bouclée sur les yeux. Hélène répéta à voix encore plus confidente « c'est combien pour le *bébé de rêve*, le grand jeu ? » « Plus que vous n'avez. » « J'aurai ! Chambre 10, dans dix minutes, le temps de passer sous la douche. » Elle fit deux pas, se retourna sur le seuil de l'hôtel Styx, « vous n'êtes pas resté longtemps à la haie de troènes ? » « Il fait trop chaud, les feuilles saignent. » « Vous aurez aussi besoin d'une douche. À tout de suite ! »

Chambre 10, « elle » écrit, « je soussignée *Karpak*, Marie, Josèphe Anastasia, fille de *Karpak* Piotz et de Boulard Denise, épouse *Revenant*, Raymond, mère d'Alexis, Sophie, Dimitri,

Serge et Nina, onze fois grand-mère, déclare par la présente lettre à seule fin que jamais personne ne soit accusé par erreur avoir dérobé la recette du samedi noir, expression relevée dans la presse le lendemain, ultime journal lu à la gare de mon premier vrai départ, des Grands Magasins du Centre dont, doyenne des caissières, promue chef, j'avais la responsabilité du dépôt dans le coffre-fort de M. Garnier, sous surveillance et protection de la société Kraft & Cᵒ. C'est un sac identique que j'ai confectionné et déposé, lesté de pages de livres achetés au hasard, chez les bouquinistes du quai, soigneusement découpées au format des billets pour, de l'extérieur, figurer des liasses ».

« Preuve de mon vol : il y avait des pages de *Au pays du dauphin vert*, d'Élisabeth Goudge ; des pages des *Promenades dans Rome*, de Stendhal ; des pages du roman *Le pays où l'on n'arrive jamais*, d'André Dhôtel ; des pages du recueil de nouvelles *Un diamant gros comme le Ritz*, de Scott Fitzgerald. Dois-je mentionner d'autres titres pour l'évidence de la substitution ? »

« Je remercie particulièrement M. Garnier à qui je dois d'avoir pu accomplir cet exploit frauduleux, non pour le gain, je ne sais même pas, hors chèques et relevés de cartes de crédit, quelle somme contenait ledit sac, mais pour la possibilité de m'en aller, avec mon histoire ;

mon mari, parfait; mes enfants, parfaits; mes petits-enfants, adorables; des fêtes de famille, et ça proliférait, quelques petits drames, sans aucune importance; jeune fille; jeune femme; jeune épouse; jeune mère; jeune grand-mère; simple caissière depuis les sept ans de Nina par désir de voir du monde, de voir les autres payer, payer et dans leurs yeux, parfois, quand ils achetaient à deux, l'émerveillement de l'achat, décision prise, surtout au rayon électroménager; la cuisinière, le lave-vaisselle; le four autonettoyant; le réfrigérateur avec le compartiment quatre étoiles pour les surgelés. Je les aimais. Tous. Dans ce magasin-là, l'argent leur coûtait. »

« Souvent, alors qu'ils payaient, je leur donnais des conseils supplémentaires de mise en route, d'entretien ou de mise en place. Je n'étais pas une caissière ordinaire. J'ai fait tous les rayons. Les vendeurs avaient pris l'habitude de dire: voyez la jeune dame, là-bas, à la caisse. Ensuite vous revenez avec le ticket. La jeune dame? Je partageais la joie de tous les achats. Une cérémonie? J'en ajoutais. Pour la bonne réputation de ce qui était devenu ma seconde maison, ma seconde famille. »

« Lorsque vous m'avez remis ma médaille des vingt ans, M. Garnier, vous m'avez dit: 1) qu'à vingt ans de services (bons et loyaux) j'étais plus

143

jeune que jamais, les employés de l'auditoire, au grand complet, avaient souri ; 2) qu'à ma manière bavarde d'effectuer les encaissements, me passionnant pour une chemise coton grand teint, des étagères modulables, une boîte à outils, j'avais inventé en quelque sorte le service *avant-vente* des Grands Magasins du Centre, mes compagnons avaient ri. Le *concept*, avez-vous dit, serait repris pour la maison : *le choix, les prix* et *le service avant-vente.* »

« Il y avait de la jeunesse dans le bonheur d'acheter, comme une liesse, même si parfois des clientes pressées, des clients revêches, se plaignaient de l'attente à la caisse. Ceux-là n'aimaient ni la vie ni leur vie. J'ai aimé la mienne au point de ne pas vouloir, ou pouvoir, un blocage, concevoir une mise à la retraite ou, plus simplement, la vieillesse. Ma vue baissait. Je ne le disais à personne. Je me faisais aussi teindre les cheveux à grands frais, régulièrement. Il fallait que je reste *la jeune dame là-bas, à la caisse.* »

« Je contenais la peine infinie d'une vie bien remplie que la mise à l'écart réservée aux vieux n'altèrerait pas. Il me fallait de l'argent ? Je l'ai volé ! J'ai trouvé la voie ! Ce que j'ai vécu en douceur, je le quitte en douceur. Raymond ? Je lui fais confiance. Il se refera une seconde jeunesse. Il est assez bon et fidèle pour cela. Mais gare, les histoires n'existent que dans les histoires. Dès qu'une histoire se trame et qu'on y croit, la vie s'en va. »

« Caissière, j'aimais les passages, les visages, les échanges de regards, l'application à compter les billets épargnés ou à signer les chèques. Désolée, M. Garnier, il fallait que je paye le prix pour un départ en jeunesse. N'accusez pas les miens. Vous serez largement remboursé par vos nombreuses assurances. Ou bien tenez compte du bénéfice de plus de vingt ans de service avant-vente. »

« Je soussignée *Karpak*, Marie ; épouse *Revenant* Raymond, certifie conforme cette déclaration, persiste et signe en mon âme et conscience. Le mercredi après le *samedi noir*, bientôt le départ, Marie Karpak. »

Marie Karpak glissa la déclaration sous pli adressé à M. Garnier, enveloppe timbrée qu'elle avait emportée, prévoyante comme toujours, avec elle. Puis elle quitta la chambre 11, croisa Caron dans l'escalier, « pardon », « pardon », chacun se frayait un passage, Caron se dit « quel drame va-t-elle encore provoquer ? » Marie Karpak, et elle tenait à son nom de jeune fille, pensa « encore de la fredaine dans l'air ».

Dans le hall, elle frappa à la porte interdite. Madame lui parlera sur le seuil. Marie Karpak lui dira « j'imagine que le courrier aussi est interdit. Je vous demande exceptionnellement de poster cette lettre, ou de la faire poster de Paris par votre époux, de loin, d'ailleurs, de n'importe où pourvu qu'elle arrive. Rien d'ici n'est dit. Vous pouvez la lire. Elle n'est pas cachetée. C'est important. Je peux compter sur vous ? » « Je le ferai », dit Madame, l'air aimable, trop aimable pour que Marie Karpak ne s'inquiétât pas en regagnant cette chambre où elle s'était assignée à résidence, une pénitence pour une impatience, une impatience pour le bonheur d'une jeunesse qu'on veut toujours sans pli, sans ride, rien de froissé. Madame avait aussi refermé la porte de son bureau trop calmement. Marie Karpak se retrouva dans sa chambre, avec le sentiment d'avoir trahi le projet de partir avec son histoire. Elle avait fait ça pour son Raymond et les siens. Une histoire entre elle et elle, elle y croyait, la vie s'en allait, tout était livré, bouclé, et il y avait le cri des mouettes, la fureur de la marée montante, un halo de brume autour du soleil déjà au déclin, début de fin d'après-midi. Elle ferma la porte-fenêtre, s'allongea sur le lit, mains croisées sur la poitrine, et s'endormit, apaisée.

Madame lut la déclaration de Marie Karpak. Elle la déchira, la fit brûler dans un large cendrier avec les mégots laissés par Caron et, du bout du doigt, tenancière de milliers de secrets, elle réduisit les bouts de feuilles carbonisées en petites cendres. C'était son heure de repos. Elle donnerait un coup de fer à repasser au chemisier.

17.

À ce moment-là, de la lettre déchirée, chambre 10, Caron se déshabillait devant Hélène. Il avait exigé d'être payé « avant », le bruit des billets n'avait pas été sans procurer à l'un et à l'autre un certain plaisir. Pour Caron, c'était de l'argent que sa mère ne récupérerait pas et compter l'excitait. Pour Hélène, cet argent qui n'avait plus de valeur lui donnait encore un droit qu'elle ne souhaitait que de regard.

« Plus lentement, dit-elle à Caron, et en pliant vos vêtements. » Hélène, en peignoir blanc, serré à la taille, était assise au bord du lit, mains à plat sur le couvre-lit, les jambes légèrement écartées, les pieds nus à côté de mules brodées à ses initiales. À sa posture, la tête un peu rentrée dans les épaules, on eût pu croire qu'elle se moquait. C'est elle, cette fois, qui menait le jeu. Il y avait comme de l'amusement dans ses ordres. Caron impressionné, ou bien blasé et habitué à donner toutes sortes d'impressions désirées, une contrariété à la carte, l'amour malin, suspendit sa chemise mouillée de sueur sur le dossier de la chaise. Puis il s'assit pour retirer ses sandales. Hélène dit « faites semblant d'y croire ». Il murmura « s'il vous plaît ». Elle répéta « s'il vous plaît » sur un ton tellement égal qu'on n'eût pas pu distinguer en fait le joueur du joué, le floueur du floué, le menteur de l'innocent, le voyeur de l'innocent. Hélène pensait à tout cela en se régalant du regard et s'imagina que tel ou tel acteur qu'elle avait adulés à leurs débuts, se relayaient, pour lui offrir *la* scène qu'on ne voyait jamais dans les films.

Caron se tourna pour retirer son pantalon et, cérémonieusement, alors qu'il ne s'agissait que d'un torchon de toile rude d'un vilain marron, sa tenue de jardinier, le plia comme un vêtement de gala. Il retira son slip. Hélène se dit qu'il n'y avait rien de plus beau que le pli fessier d'un homme. Pour un peu, elle aurait gueulé avec sa voix éraillée, la voix qu'elle avait cachée à Dora et Gisèle, sa voix naturelle, cette chanson qu'on lui réclamait à la fin des banquets, *pas de cul, pas de cœur.* Les hommes alors pensaient aux femmes et elle pensait aux hommes.

Caron se retourna. Il avait le corps nerveux, svelte, la peau hâlée, pas de marques de maillot, un ventre lisse et imberbe, un sexe brun, un fin duvet blond le long des jambes et des fossettes aux genoux, la moto, le muscle, le califourchon.

Il hocha la tête pour faire rouler les boucles sur son front et dit, presque en riant, mais il n'était pas content, « et maintenant ? » « Maintenant », dit Hélène en prenant un bout de papier découpé dans un journal et le lui tendant, « lisez ceci, c'est extrait d'un récent manuel d'éducation sexuelle destiné aux enfants ».

Caron lut, *Vienne, de notre correspondante. Ils se caressent mutuellement le dos, le haut des cuisses, et touchent pour finir leurs organes sexuels. Si les partenaires disposent d'un endroit dans lequel ils ne seront pas dérangés, ils peuvent enlever au fur et à mesure les vêtements qui les gênent, afin d'apprendre à mieux connaître l'autre. Et s'ils y trouvent du plaisir, les mains peuvent être secondées par les lèvres et la langue dans ce jeu amoureux avec les organes sexuels et les zones érogènes. Ce jeu d'excitation réciproque (petting), lorsque tous les deux en ont le désir, peut conduire à l'orgasme sans qu'il y ait pénétration.* Hélène s'était approchée de Caron et, pendant qu'il lisait, avait tourné autour de lui en caressant du bout du doigt les épaules du colosse ou de l'éphèbe, elle ne savait plus, troublée, pour se retrouver nue, face à lui, les pieds dans son peignoir, « c'est tout ce que je veux, Caron. Rien d'autre. C'est tout ».

À ce moment-là, de la lettre déchirée, chambre 16, de son balcon, le professeur se pencha sur la terrasse de la chambre 17, chambre vide, Jacqueline était partie. Maintenant il aurait voulu lui parler. Il murmura «je vous prie de m'excuser» et rentra dans sa chambre. Il avait en tête des vers du *poète Mallarmé*, comme il l'appelait à l'ordinaire, se défendant de jouer avec les mots et pourtant, pléonasme? *Sur les crédences, au salon vide: nul ptyx / Aboli bibelot d'inanité sonore / (Car le Maître est allé puiser des pleurs au Styx / Avec ce seul objet dont le Néant s'honore.)* Combien de fois avait-il cherché la signification du mot *ptyx* qui rimait avec *Styx* pour ne jamais la trouver, dans aucun dictionnaire? Le poète avait-il inventé le mot pour la rime? Combien de fois aussi avait-il cité les quatre vers à ses élèves, soulignant l'effet musical de *l'aboli bibelot*, abobibe, introduisant l'éclat *d'inanité sonore*? Comme tout cela était cultivé, futile, instructif, initiateur, abandonné, vif, novateur, aussi clair qu'obscur, l'un n'allant pas sans l'autre! Combien de fois, enfin, au secret de lui-même, le professeur s'était-il interrogé sur la mise entre parenthèses du *Maître* confronté au *Néant*, allant *puiser des pleurs au Styx*? Ainsi la fiction du poète l'avait-elle conduit à la réalité de Madame, de son hôtel et d'un séjour qui le délivrerait de tant de secrets et d'égoïsmes savamment entretenus pour le principe d'un offertoire aux autres.

À ce moment-là, de la lettre déchirée, la brume de chaleur, ou bien était-ce des lambeaux de nuages venus du large, déchirés par la falaise, Julien décida de rentrer. Bientôt on ne distinguerait plus l'hôtel et il avait peur d'être totalement perdu. Il appelait « Elsa ? », « Elsa ! », s'imaginait qu'il marchait devant sa mère. Il n'avait plus de cigarettes. Il croisa et salua Dora et l'Irlandais. Il franchit le muret, se tenant à l'écart de la tonnelle pour éviter Gisèle et Hermann. Hermann se tenait bien près de Gisèle. Puis, s'approchant de l'hôtel, il vit un couple nu, enlacé, sur le sol de la terrasse de la chambre 10, c'était Hélène, c'était Caron. Son dos. Sa carnation. Hélène, peau de porcelaine. Samuel, du balcon de la chambre 2, lui fit signe. Il regagna sa chambre et se jeta sur le lit, la tête la première dans l'oreiller.

À cette heure-là, de la lettre déchirée, après avoir suspendu son chapeau derrière la porte, plutôt que de le laisser traîner sur la table, la dame de la 15 défit le lit, comme chaque jour, depuis quelques jours, pour le refaire, draps lisses, couverture bien au carré. Caron allait si vite, le matin, pour le ménage. Elle ne supportait pas le moindre pli. Ce n'était pas là une coquetterie. Elle s'était souvent fâchée dans la vie de tous les jours quand on la prenait pour une méticuleuse. Faire elle-même son lit, et le faire parfaitement, était un rituel auquel elle tenait particulièrement, en souvenir de sa grand-tante Amélie qui chantait en faisant claquer les draps un air qu'elle avait appris pour la musique des dimanches, au salon, avec les amis, l'air dit *de Caron*, comme par hasard, *il faut passer tôt ou tard / il faut passer dans ma barque / on y vient jeune ou vieillard / ainsi qu'il plaît à la Parque / Il faut passer...* Amélie en un tour de main magique savait tendre les draps immaculés, monter les couvertures jusqu'en haut du lit, « pour le froid de la nuque », disait-elle, savait tapoter, bouffer les oreillers, afin de « chasser les papillons noirs », disait-elle également. Voici qu'en refaisant son lit, la petite-nièce d'Amélie retrouve les mêmes gestes, chantonne le même air, dont elle se dit, elle aussi, qu'il l'a entraînée dans cet hôtel où, à force d'écouter les autres, on finit par oublier sa propre histoire, se surprendre de ne plus savoir qui a raconté quoi, le salace et l'étonnant, le graveleux et l'éternel. Ainsi, dans cette nouvelle foule des derniers instants garantis *pure douceur*, chacun retrouvait en lui l'écrin d'un souvenir scintillant, sa petite histoire, celle, parfois belle, qui à elle seule justifie le *départ*.

À ce moment-là, de la lettre déchirée, chambre 5, nu, debout devant le lavabo de la salle de bains, mains à plat dans l'eau froide, le grincheux se regardait dans les yeux, répétait son « tous des lâches », se souvenait de son voisin d'en face, et la rue était étroite, un vieux peintre américain dont il entrevoyait de macabres natures mortes avec des crânes et des ossements, des chats effarouchés et des fleurs fanées. Le voisin donnait des fêtes, toutes fenêtres ouvertes. Sa maison était alors bondée. Il y avait deux pianos, un en bas, l'autre en haut, et tout le monde chantait. C'était une cacophonie jusqu'à l'aube. Les sons et les chants se mêlaient. Tout trébuchait. Chaque fois, dans la nuit de son appartement, assis dans son fauteuil, plus grognon que jamais, notre homme de la chambre 5 s'étonnait de ce que le monde puisse encore se réjouir. Son sentiment était jaloux et funèbre. Ces musiques, eaux mêlées, le harcelaient souvent en rêve, à l'heure de la sieste. Aussi, avant, pour se purifier, se tenait-il devant le lavabo, les mains à plat dans l'eau froide.

Au moment de la lettre déchirée, Isabelle eut un pressentiment. Nazareth avait gravi difficilement les marches de l'escalier. Entendre Hélène dire « c'est combien ? » à Caron l'avait surpris. « Le dommage c'est l'âge », avait-il dit en haut de l'escalier, et « comme vous avez dû être belle, belle comme les belles d'Erevan, les mêmes yeux, croustillante comme l'*adz*, parfumée comme le quartier de Tchalba au temps des jasmins en fleur ». Pour le pressentiment, Isabelle avait quitté la chambre 6 pour la chambre 4, entrant sans frapper, afin de ne pas réveiller Nazareth au cas où il dormirait déjà. Il dormait. Elle s'approcha du lit, lui prit une main qu'elle embrassa pour les compliments reçus. La main était froide. Nazareth était mort.

18.

« Rien donc ne peut se passer dans la sérénité. Tout naît en captivité. » Madame prépare le dîner. Il y aura un couvert de moins. Elle pense. Elle se dit qu'elle est perdue parce qu'elle pense. Qui a marmonné devant la porte de la chambre de Nazareth « il a eu une belle mort » ? Hermann ? Le professeur ? Gisèle ? Samuel ? Julien se taisait, bras croisés, baissant les yeux. Caron était sorti de la chambre d'Hélène avec une désinvolture qui avait agacé sa mère. Hélène, calme, un brin palpitante, l'avait suivi de peu, alertée par le bruit dans le couloir, étreinte interrompue, ce qui avait pour sûr ajouté à son plaisir. Madame avait eu l'impression que tout lui échappait.

Il lui avait fallu insister pour qu'Isabelle acceptât de quitter la chambre de Nazareth. Isabelle pleurait. « Non, pas ça, pas ici. » Le professeur venait de se remémorer certains *pleurs*. Samuel avait insisté pour une revanche aux échecs. L'Irlandais et Dora tardaient à rentrer. Qui avait parlé de *belle mort*? La 11? La 15? Le vieux de la 5? C'était donc lui!

Madame avait fermé à clé la porte de la chambre de Nazareth, «je vous en prie, préparez-vous pour le dîner, n'y pensez plus». C'était la première fois que quelqu'un mourait avant de *partir*, la première fois en dix-sept ans, mauvais signe. On parlait de *mort* dans le couloir de l'hôtel Styx? Madame n'aimait ni ce mot ni le verbe mourir.

Là, dans la cuisine, elle pense encore «rien ne va plus», ou «c'est foutu». Elle dispose les plateaux pour les chambres 5, 11 et 15. Elle n'a pas le cœur à cuisiner. Elle se demande même si elle portera le chemisier mais ce n'est qu'un jeu, elle le mettra, elle sait ce qu'elle veut. Elle fait le compte pour le dîner, neuf avec elle dix, et avec Caron, une fois n'est pas coutume, onze. Elle mettra Isabelle en face d'elle pour la tenir du regard. Elle est jalouse de Caron. Elle est jalouse d'Hélène. Elle est jalouse de Dora qui n'est toujours pas rentrée. Elle est jalouse de ce qu'elle fut quand elle ne pensait à rien. Elle guette de la fenêtre de la cuisine. Là elle prépare les plats. Elle ouvre des bocaux de confit de canard, des bocaux de cèpes, elle pare au plus pressé. Elle sort de la réserve pour les jours sans grand courage trois terrines de lapin. Elle fait griller du pain et sort des glaces vanille, chocolat et fraise du congélateur. Le plateau de fromages est prêt. Elle pense « d'où vient le bruit des choses invisibles ? » puis « par-dessus les jours abolis ... », elle ne peut terminer sa phrase. Comment penser pareillement ? Elle se sent « moins bien que ça ». Pourtant, ce sont, ainsi, de belles formules qui lui viennent à l'esprit. Il y a en elle une curiosité, une soif, un petit bonheur de rien du tout, alors qu'elle flanche et que tout verse dangereusement. Elle a l'impression, une fraction de seconde, que l'hôtel tangue. Elle a besoin de vacances. Elle pense *vacance* au singulier. Elle a un projet. Elle y tient. Elle le tait.

Le soleil bascule derrière l'horizon, un point, lointain, nimbé, puis la nuit tombe vite, les brumes épaisses se répandent d'un gris de plus en plus sombre. Il lui faut fermer toutes les portes-fenêtres. La table est mise. Hermann sera à sa gauche. Gisèle et Dora en bout de table.

Julien a négocié des cigarettes avec Caron. « Tu as de l'argent ? » « Non. Je peux en demander à Hélène. » Caron lui a donné un paquet, « c'est le dernier, compris ? » Julien s'est dit qu'il ne passerait *donc* pas la nuit. Accoudé à la balustrade de son balcon, il fume une cigarette, lentement, en essayant de penser à chaque bouffée, il envoie la fumée dans la brume. Où est-il ? Quel jour est-il ? Combien de temps encore ? Si tout cela, de sa vie, avait vraiment valu la peine d'être vécu, le rapport cisaillant à Elsa, cette mise à l'écart du père, la découverte de son corps qui n'avait fait que le ramener à lui-même comme si on pouvait totalement entrer dans l'autre, vaguement, le percer, alors que le souvenir noyé d'une grossesse, d'un doux ballottement, de mains qui parfois se plaquaient, là, la jouissance avait été totale, tout entier dedans, porté, protégé, confusément instruit.

Après, ç'avait été le combat, le vouloir, le vouloir-revenir à la poche première, l'horreur d'un monde cruel et ordinaire, les moqueries des gosses du jardin d'enfants parce qu'il pleurait « comme une fille », les bagarres, les gros mots et la mère consciente de l'épreuve, ne prenant jamais parti. « Des bobos, disait-elle, j'en ai aussi à l'âme. » « C'est quoi l'âme, Man ? » Elle se taisait. Il insistait, « jure-moi que tu ne me quitteras pas ». « C'est toi, petit, qui me quittera le premier. »

Julien s'imagine que, de bouffée en bouffée, toute la brume est sortie de sa bouche. Le navire de l'hôtel Styx est perdu dans la nuit. Il aime cette perdition. S'il avait eu de l'argent, il aurait payé Caron pour l'avoir à lui seul, le voir seulement, toucher sa peau, caresser ses boucles, juste poser ses lèvres fermées sur les lèvres du passeur des ombres. Julien aurait voulu sauter dans la brume et s'envoler à tout jamais. Elsa le tenait encore au bout de son licou.

Caron, sous la douche, se frotte la peau avec un gant de crin. Il se savonne, il fait mousser. Il frotte à nouveau. Quand il y avait eu l'alerte à la 4, les cris de la prénommée Isabelle de la 6, « venez, venez vite ! », Hélène venait de lui dire « tu sens le jasmin ! » Caron sous la douche veut gommer le parfum de Minna.

Parfois, la nuit, après le travail de cave, quand il se couche enfin, ce n'est que pour quelques heures, parfois l'aube, il rêve qu'il retire sa peau comme un pyjama pour retrouver une peau neuve que jamais personne n'aurait touchée. Le petit Julien l'a « eu » en lui parlant d'Hélène. Mignon, le petit Julien.

Caron renverse son visage et prend la douche de plein fouet, les yeux fermés. Il voudrait chasser tant de regards. Il ne sait plus avec qui et quand, comment a débuté le commerce de son corps. Par plaisir d'abord, par intérêt ensuite ? Avec des moments de passion qu'il a eu du mal à contenir, sur le coup, et qui très vite, fugitifs, se sont révélés factices ? De Minna, il ne veut plus le parfum. Hélène, alors qu'il quittait la chambre 10 en vitesse, lui a dit « il faut que tu reviennes cette nuit, promis ? » « Je ne promets rien. » Madame a demandé à Caron de mettre une chemise blanche et de bien se tenir à table.

Madame, dans sa chambre, enfile le chemisier et se regarde dans le miroir de l'armoire à glace, en pied, de face, de profil droit, de profil gauche. Elle s'est coiffée pour la circonstance, les cheveux en arrière, très stricts, afin de dégager son front dont elle est fière qu'il soit encore sans aucune ride, comme si le labeur de tant d'années, douze mois sur douze, vingt-quatre heures sur vingt-quatre, l'avait rajeunie. Quand donc s'est-elle reposée ? Qui donc croirait qu'elle a pu, pendant ce temps-là, éprouver un plaisir de plus en plus subtil, vaguement innocent, à satisfaire le désir de partir de tant d'autres en se figurant son propre départ ? Elle s'observe dans le miroir. Elle ne sait pas vraiment si elle se voit telle qu'elle est ou telle qu'elle fut. C'est Lucien qui l'avait remarquée en premier et qui lui avait présenté Roger. Lucien était déjà le serviteur de son frère. Roger, comme toutes les brutes, avait de la timidité. Vite, Madame était devenue sa *reine des plissés*. Le chemisier est si bien repassé. Tout cela, Madame se le rappelle comme d'une fête de la veille. Mais, des fêtes, elle n'aime que les préparatifs, profil droit, profil gauche, un peu de transparent à lèvres, une touche de fard à joues, un léger trait pour souligner les yeux.

Hermann, dans sa chambre, s'est couché en travers du lit. Il a courtisé Gisèle pour se sentir un peu plus sûr de lui et, qui sait, agacer Madame. Il se dit *da lachen die Hühner*, quelque chose comme *même la voletaille en glousse.* Qu'on tourne vite la dernière page de sa vie. Et lui avec !

Dora et l'Irlandais surgissent de la brume. Caron boutonne les manches de sa chemise, dans le hall. Le professeur vient de battre une seconde fois Samuel aux échecs. Dora dit « nous avons failli nous perdre. Nous voulions trouver un village ». Caron répondra « le dîner est dans dix minutes ». Samuel cédera le passage à Dora dans l'escalier. Dora, Samuel, le professeur et l'Irlandais, Caron haussera les épaules. Julien, après leur passage, descendra en flèche. À Caron, « je peux monter sur ta moto, juste monter ? »

19.

Ç'avait été un dîner calme et ordinaire. Chacun y était allé de sa confidence, mal exprimée, parfois incompréhensible, pour les autres. Le professeur avait dit un « je sabre, j'épure, et c'est toujours trop », ou bien « trop peu », mais sa voix s'était éteinte comme si les mots avaient d'eux-mêmes effacé la fin. Dora, plus véhémente, s'était lancée dans un « en savoir plus, toujours plus de l'autre, quelle pépie ». Samuel lui avait demandé si le mot était exact. Isabelle refusait de manger. L'Irlandais avait glissé en croyant faire de l'esprit un *to-morrow is another day*, demain est un autre jour, qui, sous l'effet du peu de succès, était devenu un *to-morrow is the same day*, demain est un jour identique, et cette fois, contenue, ç'avait été comme une panique. Gisèle avait suggéré qu'on parlât de voyages et de beaux jours. Caron et Madame s'étaient levés pour porter les plateaux dans les chambres. Il y eut, en leur absence, quelques plaisanteries au sujet des « favorisés », des « rebelles », des « lâcheurs ». Aucun humour ne pouvait plus s'installer. Un malaise régnait dont chacun savait, Dora avait donc raison, qu'il venait droit de cette soif du voyeur aux aguets, avide d'une histoire de vie autre que la sienne. Samuel avait même fait jouer les mots de *voyeur* et de *pourvoyeur*. Gisèle avait essayé à nouveau de donner un autre ton, « et vous, Julien, racontez-nous, vous qui êtes si jeune ! »

Julien avait balbutié quelques mots. Samuel avait ri. Les autres aussi. Isabelle avait essuyé ses larmes quand Madame avait repris sa place à table. Caron servait le vin. Plusieurs fois, du genou, Hermann frôla Madame sous la table. Qui se mit à parler de la *roulette russe*? Qui confia qu'il aimait toutes les fleurs sauf les impatiences ? Qui parla des enfants qui étaient nés pendant la journée et du monde qu'ils trouveraient pour leurs vingt ans ? Qui provoqua Julien afin qu'il parle au point de le faire quitter la table, il n'attendrait même pas au salon bleu, Caron lui porterait sa tisane, ordre de Madame ? Qui avoua l'impression d'avoir déjà vécu l'hôtel Styx en rêve ? Qui parla, pour la plus grande stupéfaction, de la vanité des grands de ce monde, et des politiciens qui oubliaient si facilement qu'ils étaient aussi citoyens ? Samuel avait parlé du commerce des armes. Même Isabelle raconta une histoire de faux billets de 500 francs, pourquoi, la série B 14, disait-elle, et il était question de filigrane ? Le professeur mentionna certaines algues qui proliféraient dans la mer, « ce sont les ordures du monde ». Madame avait baissé les yeux. En se penchant pour ramasser sa serviette, Hermann l'avait à nouveau frôlée. Madame n'aimait plus son histoire. Le chemisier était du plus bel effet, « mangez Isabelle, je vous en prie ». Le professeur avoua « je parle comme j'ai toujours parlé : sans savoir pourquoi ni comment, ni pourquoi ni pour où . . »

Ç'avait été un dîner moins convenable que les autres, même si les paillardises de Samuel ou les subtilités du professeur n'avaient que peu fait surface. Un malaise régnait qui tenait de la confrontation, du peu de désir de chacun à vraiment se livrer, du cercle qui commençait à se restreindre, de la brume qui isolait et semblait bloquer les portes-fenêtres. Au moment des glaces, Madame avait posé des chandeliers et éteint la lumière, « pour plus d'intimité ». Ç'avait été pire encore. Isabelle s'était remise à pleurer. L'Irlandais avait ri, comme dans un doublage de film faux. Caron, amusé, avait dit « c'est toujours comme ça, vos repas ? »

Tout le monde est couché. Caron a servi les tisanes de la 5, de la 11 et de la 15. Il n'est toujours pas redescendu de la 12. Madame se dit qu'il parle à Julien. Elle n'ose plus imaginer. L'imagination tue le rêve de son hôtel. Elle a une autre affaire en tête. Le téléphone sonne. C'est Roger, « allo, ma biche ! » Il remet ça. Elle se fâche. Il s'étonne. Elle annonce qu'elle ne veut plus personne. « Tu ne peux pas. » « Je le fais. » « Ils sont sept sur le départ. » « Garde-les. » « Qu'est-ce qui ne va pas ? » « Moi. » « Quoi, toi ? » « Mon pauvre Roger, que crois-tu ? »

« Alors, c'est grave, dit Roger après un silence, tu as besoin de moi ? » Madame ne répondit pas. Il insista, « je te manque ? » Madame eut un rire. « Qu'est-ce qui t'arrive, bichounette ? » Madame eût souhaité pouvoir le lui expliquer si l'expérience sereine de tant d'années ne l'avait pas, cette fois, définitivement instruite du danger des mots, de la surenchère de malentendus que provoque leur usage et de la colère qu'ils peuvent inspirer. Roger avait repris sa grosse voix pour dire « Klempe, ça ne s'arrange pas », et « Lucien commence à se poser des questions ». « Quelles questions ? » avait demandé Madame. « Dis-moi la vérité. » « La vérité, c'est que j'arrête. Ta bichounette raccroche. À demain. N'envoie personne. » Madame défit un bouton de son chemisier. Son cœur battait. Pour Roger ? Pour Hermann ? Parce que Caron restait avec Julien ? Ou bien était-il passé dans la chambre d'Hélène ?

Ils avaient bu leurs tisanes. Comme des enfants sages une veille de première communion. Il y avait de l'enfantillage dans la création et la réa-

168

lité de cet hôtel Styx. Madame sortit dans le hall, tendit l'oreille, pas de bruit au premier, elle ne voulait pas que Caron la surprenne. Elle gravit les marches de l'escalier et, en haut, tourna à droite, sur la pointe des pieds, passant devant la chambre 12, chambre de Julien, des voix, Caron était avec lui, et elle, pantelante, devant la porte de la chambre 13, lit double, Hermann ? Elle reboutonna le chemisier. Elle hésita à frapper. Elle allait entrer sans frapper quand elle renonça. C'était bien mieux ainsi. Hors jeu. Fin de partie. Que les hommes restent à leur place.

Sitôt de retour dans sa chambre, apaisée, elle ôta le chemisier de Claire et le jeta dans le couloir afin de ne pas l'oublier le lendemain et de l'ajouter au contenu d'une des panières. Vite couchée, elle éteignit la lumière comme si elle avait eu besoin de la pénombre pour faire le point d'un plaisir ressenti à ne pas l'assouvir. Pourquoi donc lui revint en mémoire un souvenir du temps de l'hôtel Bellevue quand ses parents l'avaient emmenée à Paris ? Plus que le Louvre ou la tour Eiffel, ils avaient voulu voir la tombe de Marguerite Gautier au Père-Lachaise. Ils s'étaient perdus dans les allées. Le père avait dit « c'est une ville dans la ville ». La mère avait suggéré de demander au gardien. Pour trouver le gardien, ç'avait été difficile, aussi. « Demande-lui, toi », avait dit le père. Madame s'était trouvée avec sa mère devant un vieil homme en costume sombre qui avait consulté un registre, «G.O. n'est-ce pas?» «Non, G.A.U.», avait répondu la mère. Le gardien avait cherché, ajustant ses lunettes, tournant des pages, puis du bout du doigt, de haut en bas, listes de noms, pour abandonner, refermer brutalement le grand livre poussiéreux et dire «je renonce. Nous sommes quatre-vingt mille morts, ici!»

Madame ralluma la lumière de chevet, fixa le plafond, son cœur battait, elle était en nage, elle ne supportait pas les nuits sans lune et sans vent marin, quand la brume jetait sur son hôtel Styx comme une chape de plomb. Elle prit un papier et un crayon, dressa une liste des clients, biffa des noms, recommença, biffa d'autres noms. Il fallait que tout aille très vite. La troisième liste lui parut conforme à ses souhaits. Elle éteignit. S'endormit. Elle avait deux heures devant elle. Caron la réveillerait pour l'ouvrage.

20.

Une lettre : Chambre 5, 23 h 30, chère Madame. Ce message vous parviendra demain. Je serai déjà loin, par vos soins. Vous avez bien senti que je ne pourrais pas tenir un jour de plus et j'ai fait le nécessaire pour que vous preniez une décision qui, à cette heure tardive, la tisane commençant à faire son effet, doit être d'ores et déjà prise.

Quel imbécile a un jour écrit *on ne subit pas l'avenir, on le fait* ? Pour quelle splendeur se prenait-il ? Avant de *partir*, comme vous le dites avec une délicatesse qui n'est pas dénuée de cruauté, puis-je vous laisser à des questions considérables à mon avis, que votre attitude et votre savoir-vivre (!) m'ont inspirées ?

Savez-vous que l'on ne vient pas vers vous par jeu mais par choix ? Savez-vous que ce choix n'est pas désespéré, mais *inespéré*, comme dirait le professeur, cet homme rompu *aux* mots et *par* les mots ? Savez-vous qu'il y a de la norme et comme une bonté envers soi et les autres à fuir une horreur devenue habituelle et en finir avec les faux-semblants et les hypocrisies qui adornent les fins de parcours pour ne pas dire les fins de vie ? Savez-vous, et je vous ai observée ces quelques jours, pleine d'assurance et somme toute douteuse, capable de doute, que l'on peut souhaiter un hôtel Styx avec sérénité et dévotion ? Savez-vous le silence des couloirs des hôpitaux et hospices, ces mouroirs, quand on n'a plus la santé, l'âge ou la famille pour vivre le dernier round chez soi ? Savez-vous ce que l'on paye une infirmière et ce qu'elle est en droit, au royaume du donnant-donnant, d'offrir en échange ? Savez-vous que l'odeur de balatum, insidieusement, monte à la tête, gomme jusqu'aux plus précieux souvenirs, et que la laideur des papiers muraux adhésifs, genre chiné, fait oublier jusqu'au peu de beauté que l'on a pu connaître ? Savez-vous que les questions que je vous pose ici ne sont pas de bon aloi, quasiment interdites, certainement a priori rejetées, et que, comme l'aurait dit le professeur, ce trifouilleur habile, *la publicité de la misère ne se distingue pas de sa suppression,* elle fait fuir, elle ne marchande plus ? Savez-vous qu'il m'est doux de vous écrire ainsi comme il m'importe de vous rappeler à l'ordre de certaines réalités ?

Peu importe qui je suis et d'où je viens. Je fus peu disert quand vous m'avez accueilli à la gare, fin de parcours, et encore moins bavard lors du premier petit déjeuner. Sachez seulement que par le miracle d'une loterie, tirage du dernier vendredi 13, j'ai pu m'offrir ici, dans votre hôtel, quelques jours de vie rêvée, décente, friande, le goût des brioches, la vue sur la mer, un vrai lit avec matelas de laine, un couloir avec moquette, une salle de bains pour moi seul, pas de télévision, pas de peuple en douillettes ou pyjamas crasseux, plus de bruit de socques des infirmières et de légers crissements des pantoufles cuirassées de celles et ceux qui, comme moi, dans la misère de l'oubli, attendaient, attendaient. Comment en ce cas souscrire aux états d'âme des clients de votre hôtel, aux petites histoires de chacune, aux remarques gaillardes de certains, à la présence d'un jeune homme de vingt ans, aux commerces de votre fils Caron, à l'apparente convivialité, à votre calme feint, une feinte de plus dans un monde où, même dans la douceur, la lâcheté fait loi ?

Je partirai sans avoir jamais su le possible amour de l'autre. J'y ai cru. J'y ai même cru sans limites. Il a fallu que je me batte toute une vie, enfant, adolescent, homme, père, époux fidèle et père fier, ouvrier à la chaîne spécialité fraiseur, j'aimais mon travail, j'aimais le bas de l'échelle, pour finalement découvrir, sans foi et sous la *loi égoïste*, qu'il n'y avait d'amour que dans le commerce ? C'est la commerçante, ici, que je remercie. La douceur de ces derniers jours a fait illusion. Même si la clientèle, comme la foule, comme moi, se montrait rebelle ou, tout simplement, être ce que l'on est. Ce que je vous écris ici me dépasse. C'est mieux que moi. Je me surprends. Est-ce l'enseignement des jours derniers, et de tant d'années de solitude prisonnière ? Je dois aller plus avant. Il y a une faille en vous. Vous pouvez écouter. Samuel, après le café, il y a deux jours, vous a surnommée *la petite sœur des riches.* Ça le faisait rire. J'avais déjà entendu l'expression. Elle traîne dans les couloirs en principe hospitaliers. Lieu commun. Chaque être humain est un lieu commun. L'inhumanité fait ses ravages. L'oubli fait loi.

Savez-vous que vous jouez le jeu de cette inhumanité-là ? Savez-vous que vous n'êtes qu'une marchande d'oubli ? Savez-vous que votre application à tout organiser est une cruauté de plus dans un monde incapable de se nommer qui va définitivement se gommer ? Savez-vous que c'est le même dommage que vous causez et que votre visage, toujours et subtilement radieux, masque à peine la même horreur qu'ailleurs ? Savez-vous que vous avez tué les autres, des autres, par peur de vous supprimer vous-même ? Vous faites trop bien la cuisine pour que je n'en sois pas sûr. Quel est le vrai prénom de Caron ? Quelle farce avez-vous jouée ? S'il n'y a plus d'arrivées, même pas une personne pour me remplacer dans l'eden de cette chambre 5, où en êtes-vous de ce jeu avec vous-même ?

Nul reproche, si vous me lisez bien. Seulement un hommage sous forme d'invitation à mieux gérer votre affaire. Vous avez le regard des gens qui ont une idée fixe. Vous êtes dans votre hôtel, et le tenez à merveille, pour les mêmes raisons que vos clients. Les disparus ne gênent personne. Vous le savez. Ils ne troublent pas l'ordre public. Vous le savez. Pour les enquêteurs, il n'y a qu'à s'en remettre à des pistes dérisoires. Et vous en profitez. Je ne suis pas sans admirer l'art que vous avez de la précaution. Reproche et hommage iraient-ils donc de pair ? Qu'elle est belle, cette nuit, dont je sais et je sens, la brume aidant, qu'elle sera la dernière. J'ai doublement gagné à la Loterie.

Comme on dit, je *n'oublierai jamais* la douceur de vos salons, le toucher des velours, un certain canard aux figues, le parfum d'une tisane, l'odeur de la pelouse fraîchement tondue. J'en ai connu, auparavant, des salles communes, des fauteuils en tube chromé, des sièges tressés de faux rotin en plastique ou recouverts de skaï marron qui colle au fessier si l'on stationne trop longtemps. Nous écoutions la radio, et surtout les jeux, quand il n'y avait pas d'émission de télévision. J'espérais gagner. Ça et la Loterie avec chaque semaine un numéro se terminant par un 7 avec un 3 dedans. Dans le *petit cochon rose*, il y avait ce jour-là, bien avant le dernier vendredi 13, la cagnotte de 103 717 francs. Depuis la veille, je rêvais de ce gain, un 3 et à la fin un 7. La question avait été *que faisait l'ange Gabriel, en haut du mont Hira, dans la nuit du 25 au 26 mai de l'an 617 de notre ère ?* Personne n'avait trouvé. Tout le monde avait perdu. Dont moi. Il dictait le Coran à Mahomet. La réponse avait été donnée pour plus de dépit pour tous. Ainsi va le monde si l'on peut aimer. Et gare à ceux qui annoncent la couleur d'un amour heureux, fût-ce celui de Dieu, de Mahomet ou de tel autre.

Ce jour-là, de cette année-là, après cette déception, sacré *petit cochon rose,* j'avais décidé d'écrire au lieu de traîner dans les couloirs de cette maison prétendument de repos, était-ce même un hospice, nom désormais banni, j'économisais sur mes pantoufles pour me payer des billets avec un 3 dedans et un 7 à la fin. Pourquoi ? Pourquoi écrire également ? Je n'avais rien à dire d'idéal et de spectaculaire. En cela peut-être étais-je un héros. Un écrivain-fraiseur « pas faiseur du tout », dirait Samuel en riant. J'avais oublié jusques aux rires. De ce roman, vous trouverez dans mes affaires le cahier. Il n'y a que le titre en première page, *Le Chant des anges.* Rien à voir avec votre hôtel Styx. Et pourtant ? J'aurais voulu écrire ce qui vient de la terre et qu'on ne peut pas toucher. Ce qui existe et qu'on ne peut pas exprimer. Si on l'exprime, ça ne chante plus. J'avais peur de la première page, du premier mot. Au premier mot, ce serait fini. Or mon désir était infini. Et le titre contenait tout.

Voici. Je vous ai écrit. Merci. Je vous abandonne à vous-même. Je peux désormais écrire mon œuvre. Vous pouvez jeter le cahier. N'y a-t-il plaisir que de faire souffrir ceux que l'on aime ? A commencer par soi. Je ne vous ai donné que de faux noms. Alors je signe, *tous des lâches* et j'ajoute *même moi.* Gratitude.

21.

Madame a relu la lettre du fraiseur de la 5, puis elle l'a déchirée et jetée au fond d'une des cinq panières, avec le chemisier de Claire ramassé dans le couloir. Cinq ? À la cave, peu avant l'aurore, Caron lui avait dit un « tu mets les bouchées doubles » qui lui avait paru moins honorable que l'idée qu'elle se faisait encore de son établissement, ainsi qu'un « j'ai tout de même le droit de savoir où tu veux en venir ». Madame s'était contentée de répondre « il faut que tu m'aides à retirer les rallonges de la table de la salle à manger ».

Ç'avait été difficile de les défaire. Elles étaient en place depuis si longtemps. Caron était même allé chercher un marteau, « malheureux, tu vas alerter tout le monde ! Qu'est-ce qu'ils vont croire ? » Caron s'était contenté de dire « pour le peu qui reste ». Silence, « combien d'arrivées ce matin ? » Silence, « personne ? » Madame avait regardé son fils droit dans les yeux et lui avait dit « tu as tremblé, avec Julien ».

Grandie de ses trois rallonges, la table de la salle à manger occupait presque tout l'espace libre. Face à face, Madame et Caron, en poussant très fort, avaient fait glisser les deux moitiés d'ovale des extrémités, les traverses avaient grincé, il y avait eu de la plainte dans cette table aussi, jusqu'à l'ovale parfait, table de taille familiale désormais. Caron avait demandé « tu ne vas pas à la gare ? » Madame avait répondu « ne me pose plus de questions. Juré ? » « Juré craché », avait répondu Caron en crachant pour de vrai par terre et en essuyant du pied la salive. Il était sorti de la pièce après avoir dit d'un ton petit-nègre « moi pas savoir. Moi aller me coucher ! » Madame, une fois encore, avait pensé que ce n'était pas le genre de la maison.

Madame s'était alors souvenue de Pitou, le nabot qui l'avait assistée pendant tant d'années avant que Caron ne les rejoigne. C'était avec Pitou, l'homme à tout faire de l'hôtel Bellevue, un héritage d'avec les meubles, qu'elle avait posé les rallonges. « Comme pour un festin », avait-il dit ce jour-là où, face à Madame, il avait poussé pour que les planches s'encastrent. Il avait de la force. Sa tête arrivait à hauteur de table. Il avait poussé des mains et du menton. Madame avait failli tomber à la renverse. Le nabot avait longtemps travaillé dans les mines de l'arrière-pays où l'on s'était moqué de lui parce qu'il était le seul à pouvoir se déplacer sans se courber. Les parents de Madame l'avaient adopté, contre le gîte et le manger, comme le fils qu'ils n'avaient pas eu, un fils qui n'aurait pas d'âge, le nabot avait les traits fixes d'un enfant émerveillé. C'était lui qui avait la charge des tinettes quand l'hôtel n'avait pas encore le tout-à-l'égout. Les parents de Madame ne voulaient pas, par le puits, comme on le leur avait suggéré, se débarrasser des eaux sales, à cause des marées basses, à cause des mauvaises odeurs, à cause de la beauté intacte du site et de la pureté de la mer. Une délicatesse qui est toujours, à ce jour, le paradoxe et le sceau de Madame.

Aussi Pitou était-il devenu l'allié de Madame. Il ne voulait pas revenir dans les mines. Il ne voulait plus que l'on se moquât de lui. Il aimait la vue de l'hôtel Bellevue, la vie nouvelle de l'hôtel Styx et tenait au secret du labeur nocturne sans avoir jamais fait d'autre commentaire à Madame qu'un « je suis sûr que vous n'êtes pas la première à avoir eu cette idée ».

C'est le nabot, le bon Pitou, « Pitou pisse-partout », disait Caron, qui avait petit à petit formé et instruit le fils de Madame. Jusqu'au jour où, ne servant plus à rien, serein, le nabot avait dit à sa patronne « je veux partir comme les autres ». Madame lui avait offert un séjour de quatre jours, comme un client, avec les clients, assis à table sur une pile de numéros de *L'Illustration*, reliés, pleine peau, 1915, 1916, 1917, 1918, 1919, 1920 jusqu'à 1925.

Par deux fois, Madame vient de se souvenir de Pitou. Pour les rallonges de la table. Et parce qu'elle vient de lire deux fois la lettre du fraiseur de la 5, pour le « je veux partir comme les autres ». C'est désormais son souhait. Elle se l'avoue. Elle le nomme. La mémoire, ainsi, tend des embuscades. Comment être à la fois en scène et en coulisses, à la cuisine et au banquet ?

Madame ouvre le tiroir central de son bureau. Au fond, il y a un petit carnet, sans titre, sans mention précise, avec des pensées calligraphiées à chaque page, l'aide-mémoire de Pitou, si proprement tenu que jamais personne n'eût pu croire qu'il avait été recueilli par le nabot. Aussi, exceptionnellement, Madame l'avait-elle gardé en se disant que, peut-être un jour, elle comprendrait ces pensées glanées par celui qu'on croyait totalement demeuré. Au hasard, elle lut, et elle lisait pour se distraire du questionnement de la lettre du fraiseur de la 5. Page 17, *Socrate* dit *j'ai vite découvert que ce n'est pas par sagesse que les poètes créent leurs œuvres, mais par un certain pouvoir naturel et par les inspirations comme les devins et les prophètes qui disent tant de belles choses, mais qui ne comprennent rien de ce qu'ils disent;* page 39, *Keats, j'écris comme par hasard ou comme par magie. Je produis alors un autre*; page 52, *Goethe, les chants m'ont fait, ce n'est pas moi qui les ai faits*; page 73, *Rimbaud,* et en lettres capitales, *je est un autre*; pages 92 et 93, écrit en tout petit, avec extrême application, une ode de Wordsworth qui commence ainsi *les choses qui tombent de nous qui s'évanouissent.* Madame abandonna la lecture. Elle ferma le carnet.

Qui étaient Socrate, Keats, Goethe, Rimbaud, Wordsworth? Qui étaient ces gens-là, de quel clan, de quelle famille? Socrate, oui, elle en avait entendu parler. Était-ce dans un contrepet de Roger, quelque chose comme Socrate se gratte la rate avec sa mauvaise mine? Non, ce n'était pas ça. Ça ne veut rien dire. Pourtant, Roger riait. Alors? Madame offrirait ce carnet au professeur. Un geste. Un appel? Une moquerie?

De Pitou, elle avait jeté des cahiers et des cahiers de poèmes dans lesquels *marée* rimait avec *durée, ciel* avec *miel, rivages* avec *coquillages.* Elle avait trouvé ça mauvais. Les cahiers avaient pour titre *Le Rivier, Le Vivier, L'Épervier, La Strate, Bonjour, Au marteau, Écumes, Le Tour du monde de Pitou-Trois-Pouces, L'Encrier.* Madame avait jeté ces œuvres complètes en haussant les épaules comme le nabot avait coutume de le faire pour répondre « oui » en s'essuyant les lèvres. Il avait toujours les lèvres mouillées.

Madame réagit. Au vif. Le travail. Elle tria les affaires du fraiseur de la 5, jeta notamment une vieille paire de pantoufles, des savates façon babouches, une robe de chambre, trois pyjamas et plusieurs coupures de journaux avec les mêmes résultats de la Loterie.

Il n'y avait presque rien dans la première panière. Elle tria la seconde, celle de Julien, jeta dans la première un jean sale, un blouson usé, des chaussettes trouées, la chemise de Jonathan, et une boîte contenant des photos : une femme avec un bébé dans les bras ; une femme aidant un enfant à faire ses premiers pas sur une plage ; une femme en robe à fleurs et chapeau de paille assise au bout d'une barque, visage de trois quarts ; une femme à l'entrée d'une église avec un enfant plus petit qu'elle, sur la pointe des pieds, lui donnant le bras ; une femme, toujours la même femme, éclatant de rire ; secouant des draps ; tenant des fleurs dans ses mains ; une femme heureuse et désemparée, radieuse et piégée. Madame jeta vite les photos. Il y avait bien encore quelques objets mais sans importance, trois paquets de cigarettes qu'elle donnerait à Caron. Trois d'un coup ? Un cadeau de Caron ?

184

Puis elle tria prestement les affaires de Gisèle, vida le troisième panier et remplit le second. Une passagère comme une autre. Là encore il y avait du courrier timbré à l'adresse d'un certain Alexandre. Le quatrième panier était plein. Celui d'Hélène. Des robes, des colifichets, un sac en croco, les papiers d'identité, des bijoux vrais ou faux, tous très beaux, des photos de finales dans des cabarets, plumes et boys, une Torah, un album de photos, des lettres, des produits de beauté. Madame trouva l'argent liquide dans les sous-vêtements. Elle le garda. Jeta le reste. Page tournée, page et visage.

Dernière panière, celle de la dame de la 15. Le tri fut vite fait. En un rien de temps la cinquième panière était vide et la quatrième à moitié pleine, le chapeau sur le dessus. Il y avait aussi les valises et les sacs de voyage vides. Elle appela Caron, « à ton tour. Je vais préparer le repas ».

Au petit déjeuner il n'y avait plus eu que Samuel, Isabelle, Dora, l'Irlandais, Hermann, le professeur et Madame. Caron avait servi Marie Karpak dans la chambre 11. « C'est pour quand ? » lui avait-elle dit en l'attrapant par le bras alors qu'il venait de disposer le plateau. Elle lui avait remis de l'argent, « c'est tout ce que j'ai, intervenez pour moi, je veux partir la nuit prochaine ! » Caron n'avait rien répondu.

Après le petit déjeuner, Samuel avait fait le point des portes ouvertes dans le couloir du premier : Gisèle à la 1, le vieux de la 5, Hélène à la 10, Julien à la 12, la dame de la 15 et pas d'arrivées. Dehors, le vent s'était levé. Le silence, un autre silence, était tombé comme une brume sur l'hôtel. Dora surprit Samuel, « venez cueillir des fleurs avec moi. Nous parlerons ». Caron passa dans la cuisine. Il dit à Madame « je vais faire un tour ». Madame répondit « si tu appelles Roger, je te préviens, tu perdras tout ce que tu as gagné ».

22.

L'air était plus vif, le ciel d'un bleu incertain. La lumière avait de la franchise, un brin gaillarde, éblouissante. De loin, on ne pouvait pas regarder l'hôtel sans cligner les yeux. Un vent d'est soufflait des terres, turbulent, porteur de senteurs de mousses, vaguement de violettes et de genêts. Dora et Samuel avaient franchi la haie de troènes. Dora parlait seule. Samuel l'écoutait l'air malin. Très vite, parce que Dora s'en tenait au bonheur du matin et à des considérations ordinaires, Samuel était devenu plus grave et marchait derrière elle, un peu courbé, le pas lent, les mains croisées dans le dos.

« C'est comme les abeilles », murmura Dora en allant de l'avant, à voix assez basse pour que le ton de la confidence y soit et que Samuel soit forcé de tendre l'oreille, « juste avant mon départ, le canton de Zoug était en émoi. Des centaines de milliers d'abeilles mouraient après avoir absorbé du sucre abandonné dans une décharge ». Dora s'arrêta, regarda Samuel et le prit par la main, geste de petite sœur, « je peux ? » Elle avait parlé de deux mille tonnes de sucre avarié, réserves de guerre entreposées dans les locaux d'une entreprise de transport, détériorées à la suite de violentes pluies. Plusieurs centaines avaient été jetées à la décharge d'Alznach. Les abeilles, prises d'accès de gloutonnerie, irrésistiblement attirées, gavées au point de se traîner les ailes collées par le sucre, croulaient sous le poids de leur butin. Les ruches étaient atteintes de superproduction. Les rayons s'effondraient sous le poids de la provende rapportée avec zèle et délectation. Les reines ne pouvaient plus pondre ou couver. On n'envisageait même pas de se consoler en pensant à la production de miel : il serait trop sucré et immangeable, « comment vendre du miel qui n'est plus de sapin ou d'acacia, mais de décharge ? »

Samuel écoutait, heureux de se sentir tenu par la main, entraîné par une jolie femme. Dora ajouta « j'ai même lu une entrevue avec l'inspecteur des abeilles du canton de Zoug. Il disait que, si le sucre de la décharge d'Alznach continuait à fondre, il transformerait les eaux du voisinage en sirop et qu'il était quasiment impossible de débarrasser la décharge de ces tonnes de sucre humide pour les envoyer dans une usine de retraitement. Il fallait des bacs étanches et surtout travailler de nuit, pendant le sommeil des abeilles ». Dora réfléchit, « je crois que c'est cette histoire d'abeilles qui m'a décidée à venir ici. Pour la décharge et pour la gloutonnerie. Pour le miel et la rupture d'un cycle. Pour cet excès. Les parents de Karl ont pris leur retraite dans le canton de Zoug. Une belle maison. Ils doivent nous appeler, et ça sonne occupé, occupé. Qui m'a demandé le premier jour quelle heure il était à Tokyo ? Je suis gavée. Écœurée. Nous étions si peu au petit déjeuner, pas d'arrivées, la table sans rallonges. Quelle curieuse famille nous formons. Emmenez-moi là où vous avez trouvé des morilles, s'il vous plaît ».

« Il me plaît ceci », répondit Samuel en attirant Dora vers lui et en posant à peine ses lèvres sur les lèvres de Dora, « merci, un baiser qui efface le souvenir des abeilles. Je m'étais perdu quand j'ai trouvé les morilles. Je me perds aussi avec vous tous au point de manquer d'audace ». Ils s'étaient assis dans une clairière. Dora avait enfilé son cardigan un peu trop rose, le chic de Zurich, et l'avait lentement boutonné, par peur du froid, du froid intérieur et par pudeur.

Isabelle avait mis ses lunettes de soleil, « à cause de la réverbération ». Elle avait pris place aux côtés d'Hermann et de l'Irlandais, à une table, devant le salon bleu. Madame leur avait servi des boissons fraîches ainsi qu'au professeur, table voisine, absorbé par la lecture d'un petit carnet que Madame lui avait confié. Du balcon de la 11, Marie Karpak surveillait tout le monde.

L'Irlandais se mit à fredonner une chanson. «C'est de qui?» demanda Isabelle. Hermann répondit «je ne sais plus. Un chanteur du genre *non je n'ai pas changé, j'ai toujours mes deux pieds dans les mêmes chaussettes*, même pas deux accords, une grosse voix, c'est tout». «Mais qui?» redemanda Isabelle. Hermann dit «c'était... c'était Peter Nobody, ou bien Steve Mac Nonsense». L'Irlandais avait souri. Isabelle avait parlé de sa collection d'objets, «tout me plaisait, sauf les plumes de paon, ça porte malheur, et les fauteuils verts, le mauvais œil dans la maison». Elle avait ajouté «cet hôtel n'est plus comme à l'arrivée».

Hermann et l'Irlandais, torses nus, s'étaient levés et remis à faire de la gymnastique comme la veille. Isabelle s'était tournée vers le professeur, «si nous parlions un peu». Pas de réponse. «Si vous me faisiez la lecture à voix haute», refus. Indifférence?

Madame était remontée du jardin, de derrière la cabane à outils, avec un bouquet de fleurs à la main. «Je vais faire une jolie petite table», avait-elle dit très fort, quand, regardant Hermann, elle avait failli trébucher. Hermann avait souri. Madame avait rougi. Bruit de moto.

Caron rentrait de son tour. Le postier lui avait remis plusieurs télégrammes de Roger. Madame avait expliqué à son fils « j'ai décroché le téléphone ». « Il va venir ! » « Il n'osera pas. » Madame avait alors rendu à Caron les trois paquets de cigarettes de Julien, « tu lui offrais des cadeaux ? » « Je l'aimais bien, quand même », « moi, quand j'aimais, c'était ni bien ni quand même, j'aimais tout court. Ça me suffisait ». Caron avait haussé les épaules. Le professeur frappait à la porte de la cuisine pour rendre le carnet à Madame, « merci, je viens de retrouver de nombreux amis. Ils parlent si bien que je me méfie d'eux ».

Midi, l'heure éblouissante. Madame se mit à penser « amis, je me surprends à donner des douceurs afin de découvrir des grandeurs que je n'aurais pas connues sinon ». Elle parlait à voix haute à ses clients. Elle aurait tant voulu qu'on lui parlât également. Ou bien se faire une déclaration, s'avouer, se dire, une fois au moins, enfin. Des phrases lui venaient à l'esprit, trop compliquées. *Donner des douceurs* ne voulait rien dire et ce *sinon* en ponctuation finale était trop élégant ; elle ne se ferait donc jamais confiance !

La mer est agitée. Un paquebot passe au large. Au bout du raz, le mica du granite de l'obélisque scintille un peu. Avec ses jumelles, cadeau des employés des Grands Magasins du Centre pour ses vingt ans de maison, Marie Karpak peut lire l'inscription *omnia amor*. C'est la première fois qu'elle se sert des jumelles longtemps admirées dans leur boîtier en cuir véritable. Elle n'a jamais voyagé depuis. Son appartement avait vue imprenable sur le mur d'en face, une famille nombreuse au troisième, un couple de retraités au quatrième, un jeune couple avec bébé au cinquième. Elle n'avait jamais osé regarder chez eux. Là, elle se penche, lève la tête, suit le vol d'une mouette qui lui échappe, revient au paquebot, essaie de reconnaître le drapeau de la poupe, frise les vagues, rejoint la côte, le sentier jusqu'au bout du raz et tombe à nouveau sur l'obélisque et l'inscription *omnia amor*. Elle se dit à elle-même « c'est faux », tout se brouille, elle arrête. Elle range les jumelles dans le boîtier. On frappe à la porte. C'est Caron, il apporte le plateau du repas. Il annonce le menu : tourte campagnarde, cailles aux raisins, bleu de Bresse, charlotte aux framboises. Vin ? « Aujourd'hui un côte-de-bazet, vous désirez le goûter ? » « Volontiers. » Caron sert Marie Karpak. Elle sourit. « Je suis heureuse, dit-elle, vous savez ce que vous m'avez promis. » « Promis ! » Caron ressort. Grand service. Marie Karpak déjeunera avec elle-même, sur *son* balcon.

Midi. L'heure éblouissante. Il y a un bouquet au milieu de la table. Samuel annonce que Dora a une histoire à raconter, « plus étonnante encore que celle de l'horloge parlante de Tokyo ». L'Irlandais dit bêtement « bravo ! » et le professeur « nous écoutons ». Il fut ensuite question de la convention internationale pour sauver la couche d'ozone de l'atmosphère, véritable filtre solaire indispensable à toute vie sur terre. « C'était urgent, dira Isabelle, on le savait depuis longtemps. C'est même trop tard. » Samuel raconta l'opération de l'estomac du berger allemand de son second fils, « un golfeur toujours à ses débuts, un balourd *ad vitam aeternam* qui tape des balles dans tous les sens ». On avait trouvé vingt-quatre balles de golf dans l'estomac de Crésus, le chien en question. « Mon fils, après, a joué avec. » Silence. Samuel avait aussi raconté comment il avait avalé des diamants, pendant la guerre, pour passer les frontières. « Pas à table, s'il vous plaît », avait demandé Madame. Hermann avait mis une fleur à sa boutonnière. Tout sauf l'essentiel.

23.

Les télégrammes disaient *merci de me rappeler d'urgence. Roger; veux-tu que je vienne? Besoin nouvelles. Roger; du monde dans la salle d'attente. Raccroche. Ton Roger; elle rêvait d'être mousse de péniche: te crois-tu drôle? Dernier message, à ce soir. Roger.*

Madame vient de jeter les télégrammes, déchirés avec un peu de colère : ce serait le dernier contrepet de Roger. Elle ne veut plus d'elle-même. Elle ne veut plus jouer son histoire. Elle ne veut pas du premier rôle. Elle aurait souhaité que Roger fût à la hauteur de la situation, quelle hauteur? quelle situation? et pouvoir lui écrire des aveux comme *je ne t'en veux pas à toi, je m'en veux à moi d'être devenue ce que je suis devenue*, alors qu'elle le chargeait de griefs et ne se tenait responsable de rien.

Les portes entrouvertes des êtres ne livraient que les mêmes histoires de solitude et d'ordures, de décharge et d'acharnement, de rêves trahis, de paillardises et de gourmandises, braves cailles aux raisins qui n'avaient même plus eu, au repas, le privilège d'atténuer. Sous le regard des autres, chacun était inévitablement épinglé, écarté, tenu à sa propre histoire, disgracié au nom d'un hypothétique bonheur, d'un simple mieux-vivre que tous réclamaient égoïstement et veillaient à ce que personne d'autre, individuellement, ne le vive pour de vrai.

Ces histoires, Madame les avait vécues mille et mille fois, toujours les mêmes, toujours différentes, pourtant convergentes, comme si l'hôtel Styx n'avait été qu'un goulot qu'il fallait sans cesse déboucher. C'était quoi *vivre pour de vrai?* Elle avait même honte de penser comme elle pensait. Pourquoi de la honte? pour qui? par qui?

Elle se dit encore une fois, et elle l'eût écrit si elle avait osé noter, inscrire, laisser une trace même vaine, comme le nabot, *sous le regard des autres, chacun disgrâcie l'autre inévitablement.* Deux fois *autre*: il fallait déjà corriger, peaufiner, donc mentir, sublimer, tout sauf l'ordinaire réalité, le fabuleux quotidien regorgeant de contes et de légendes.

Madame se dit qu'elle n'avait été heureuse qu'un temps, quand Caron était né, heureuse pour elle uniquement. Après, trop vite, il avait fallu changer les couches du petit merdeux adorable et surtout ne pas réveiller Roger à l'heure des biberons de nuit de peur de l'entendre se remettre à ronfler.

Après le repas, et ils avaient été huit à table, le chiffre infini, le chiffre fatal, chacun s'était retiré dans sa chambre, le café bu. Hermann avait dit à Madame « cet après-midi, vous viendrez. C'est cette fois ou jamais ». Encore un autre Roger, quel aplomb ! Que ne ferait-on pas pour une étreinte, fût-elle sans désir, palper, enlacer, tenir, sentir le poids de l'autre, s'obstiner à s'assouvir les yeux fermés ou, pis, les yeux ouverts, la même goujaterie ?

Madame sortit, marcha sur la pelouse en évitant le gravier de l'allée, elle ne voulait même plus entendre son pas, et alla s'asseoir sous la tonnelle. Le vent d'est avait poussé des nuages qui s'arrêtaient en frange, au-delà de la côte, barrant le ciel, autre horizon. Quelques gouttes de pluie, rares, passaient à travers le grillage de la voûte de la tonnelle et lui mouillaient, ci le front comme une larme coulant ensuite sur la joue, là le bras comme le pleur d'un loupiot du *chant des anges* du nabot, brave Pitou.

Madame n'avait le souvenir de s'être tenue là, sous cette tonnelle, qu'enfant, quand elle rêvait non de fuir par la mer, mais de se perdre dans les terres et de trouver des villes avec des bals, des musettes, des tambours et, dans les rues, des cavaleries, des soldats en uniforme. L'idiote de la 11 la regardait avec des jumelles. Madame se tourna vers elle et lui adressa un petit signe gentil. Il faisait lourd et moite. Madame refit ses comptes, le soir même ce serait six d'un coup : il fallait en finir avec ce qui, justement, n'avait jamais été une comédie. L'idiote de la 11 la fixait toujours, rivée à ses jumelles. Cette fois, elle lui adressa un sourire. Jusqu'au bout, elle serait parfaite.

Il se mit à pleuvoir par brusques rafales comme si le ciel et le vent d'un commun accord s'étaient fâchés de la tournure que prenaient les événements. Madame avait souvent remarqué qu'elle n'était pas tributaire de la couleur du temps et que, en revanche, la nature répondait à ses pensées et à ses actes. Depuis longtemps aussi, elle ne pouvait plus regarder la mer sans songer aux poussières de son hôtel, aux cendres de tant de passagers clandestins doucement déterminés à mettre un terme à une vie ni vraiment désastreuse ni particulièrement captivante.

La pluie criblait la tonnelle. Madame n'avait plus qu'à courir vers l'hôtel. C'est la jupe trempée, les sandales gorgées d'eau, le corsage mouillé collant à la peau, dessinant son soutien-gorge, qu'elle entrera dans le hall, cheveux dégoulinants, essuyant de sa langue les gouttes de pluie sur ses lèvres. Elle se déchaussera pour ne pas laisser de traces sur le dallage ciré. Puis, levant la tête, en haut de l'escalier, elle vit Hermann assis sur la plus haute marche. Il dit « je vous attends. Vous vous mentez ». « Oui, je me mens. » Elle le rejoindra. Il attendra qu'elle atteigne l'avant-dernière marche pour se lever, la prendre par la main et du même geste par la taille. « Vous vous moquez de moi », murmura-t-elle. « Si peu, Madame. »

24.

Un soupçon de sexe, une pincée de nostalgie, beaucoup d'histoires, vaguement du sentiment, quelques échos de l'actualité, des ombres comme une clarté, des clartés comme des énigmes, des repas comme des galas de famille, marée haute, marée basse, le jour et la nuit, les derniers jours pour une ultime nuit, quand? comment? Personne ne le sait, hormis Madame qui, nue, sur la chaise de la chambre 13, devant la table de la chambre 13, vêtements mouillés suspendus, tournant le dos au large lit, se demande si, pour gagner l'hôtel par la mort de ses parents, elle n'a pas perdu au change. Il était bon de les avoir. L'inexploit de leur vie autorisait l'évasion et son rêve. Rien que le rêve de partir.

Ainsi, les pensées s'enchaînent quand on n'a pas cru à ce que l'on vient de faire, quand on regrette déjà d'avoir accompli ce que l'on avait désiré en se l'avouant ou pas, quand on se surprend à être encore plus maître d'une action que de sa fiction. On rêve alors d'un peu de désespoir bien senti. On rêve de pouvoir l'exprimer. On se dit que tout est rien. On s'en voudrait presque de ne pas avoir de chagrin.

Madame a quitté le lit en demandant à Hermann de ne pas bouger. L'étreinte fut brève, totalement inutile, quasiment violente, nerveuse, sans aucun détour. Madame voulait peut-être seulement, et salement, savoir si elle était vraiment encore capable de jouir. Elle avait joui. C'avait été moins plaisant que lorsqu'elle avait hésité et renoncé, la veille, devant la porte de la chambre 13. Et maintenant, linge mouillé : linge sale. Saleté.

Dehors, il pleuvait rudement. Au loin, il faisait soleil sur la mer. Madame se dit que ç'en avait été ainsi du paysage de toute sa vie. Nue sur la chaise, en principe comblée, brisée, ordinaire avec sa poitrine tombante, ses cuisses trop rondes et son ventre un peu fripé, plissé, Madame eut comme un coup de froid, croisa les bras sur les seins, plaqua ses mains sur les épaules, se redressa, fixa le large à travers la porte-fenêtre battue par la pluie. Hermann, couché, fumait une cigarette. C'était interdit dans le règlement. Comme elle s'était interdite d'avoir jamais une quelconque liaison avec la clientèle. Mais c'était avant, avant la jalousie inspirée par Minna, Caron n'avait-il pas passé de bons moments dans cette même chambre ? C'était avant qu'elle ne comprenne plus rien aux contrepets rigolos de celui qu'elle avait cru aimer et qui l'avait juste dissipée. C'était avant l'affaire Klempe. C'était avant qu'un Julien de vingt ans, pressé de questions, ne quittât la table. C'était avant qu'elle ne prenne la décision des derniers six, six d'un coup, la tisane du soir serait forte. Hermann pouvait fumer. L'hôtel pouvait flamber.

Pour le dîner, elle sortirait du foie gras, ouvrirait quelques bouteilles de château-palmer 1970 et préparerait des truffes en croûte, quatre par personne, une abondance. Elle avait besoin d'un festin. Mais que faisait-elle là, nue, sur cette chaise, avec cet homme nu, sur le lit, et des vêtements qui ne sécheraient ni dans l'heure ni même dans la nuit ? Que faisait-elle là, sous le regard fier et narquois de cet homme-là ? Elle lui tournait le dos pour mieux regarder le large en essayant vainement de se souvenir de quelques visages, de quelques histoires parmi des milliers. Elle avait même, cruelle habitude, presque oublié les clients de la veille et de l'avant-veille : seule son histoire comptait, comme à la lecture d'un livre on essaie de se trouver, on oublie les autres, on gomme le reste, tout s'efface au fur et à mesure, on en sort plus seul qu'avant, un brin différemment peut-être et, pour ce brin-là, la vie va, ça vaut le coup de continuer. À la dernière page, tout commence.

«À quoi penses-tu?» demanda Hermann.
«Taisez-vous!» répondit Madame.

En plein jour? Un comble! N'importe qui
aurait pu la voir dans le couloir. Madame fris-
sonne. Madame se régale de ce frisson. Elle peut
jouir encore. Elle peut. Hors jeu. Elle ne joue
plus. Jouer ou jouir. Elle vient de répondre à un
tu par un *vous*. Elle va sauter hors du cercle,
mais elle mène encore la ronde. Le dernier acte
sera le plus dur et le plus doux.

«J'avais un frère aîné, dit Hermann en écrasant
sa cigarette et en en allumant une autre, c'était
mon héros. Il s'appelait Siegfried. Nous vivions
au sud de l'Allemagne, dans la montagne, à la
frontière de l'Autriche. Siegfried aimait les glaciers et les pics. Je le suivais des journées
entières. Nous avions des crampons et des pio-
lets. Lui avait son matériel d'escalade. À l'aube,
il me laissait dans tel ou tel refuge, avec ordre de
l'attendre. Il n'aimait grimper qu'en solitaire.
Même quand il me disait qu'il m'emmènerait
un jour, à mon tour, avec lui, quand je serais
grand, je ne le croyais pas. Un matin, très tôt, il
est parti pour faire la face nord, inviolée, du
Mattenheim, sombre pic. Il n'est jamais revenu.
Je l'ai attendu jusque tard le soir et n'ai donné
l'alerte que le lendemain. Il avait dévissé en
pleine varappe, s'était pris le pied dans la corde
et était resté suspendu au-dessus de centaines de

mètres de vide. Il paraît qu'alors on met des heures et des heures à mourir. » « Arrêtez », dit Madame.

« Je suis toujours au bout de cette corde-là. Mes parents m'ont longtemps, obstinément, farouchement tenu pour responsable de ne pas les avoir prévenus plus vite. Je ne savais pas ! S'il avait crié ! S'il y avait eu de l'écho ! Si la face nord avait été à vue ! C'est comme vous, maintenant, votre face nord, tous les gens ici et ailleurs, ça se passe sur la face cachée des êtres. Oui, je parle comme le professeur. J'étais apprenti boucher. C'était plus une vie à la maison. Alors j'ai fait de la boucherie. Je... » « Non ! » dit Madame en se retournant et le pointant du doigt.

« Je t'aime en colère, tiens ton doigt tendu. » Madame se leva et remit ses vêtements mouillés, lentement, ils collaient encore à la peau. « Caron m'a dit qu'il ne fallait jamais t'appeler *ma biche*. Ça m'a coûté cent balles. Alors, *ma biche*, tu ne passes pas à la salle de bains ? » Madame le regarda avec mépris.

« La boucherie et la Légion, l'évasion et le désert. Je ne sais pas comment je me suis retrouvé à Dakar. Là, c'est un officier et sa femme qui m'ont recueilli. Ils voulaient me garder pour que j'enseigne l'allemand à leurs

205

enfants. Je suis resté chez eux le temps de me refaire une peau. Jusqu'au jour où je leur ai demandé un planisphère. Ils ont eu l'air étonné. Ils n'avaient qu'un petit Larousse illustré. La nuit j'ai déchiré la page, j'ai volé un bateau de pêcheur à Gorée, hop, de l'eau et des biscuits. Trois mois plus tard, je leur ai envoyé une carte postale du Brésil pour les remercier. » Madame écoutait, boutonnait lentement son chemisier.

« Au Brésil, j'étais pénard, mais je rêvais de pics et de glaciers, je devenais fou avec l'histoire de ma nuit de boucherie. Je ressemblais de plus en plus à Siegfried. J'ai travaillé. J'ai mis de l'argent de côté. Et je suis rentré par Amsterdam. C'est Klempe qui m'a donné le numéro de téléphone du Monsieur de toi, Madame. J'ai fait deux ou trois transports pour lui. On m'a arrêté. Je n'avais pas de papiers. Je me suis évadé. J'ai téléphoné. Je suis là. Allons, ma biche, un petit baiser avant de t'en aller ? »

Madame s'approcha de la porte, se retourna, éternua, un éternuement ridicule, plus fort qu'elle. Elle observa Hermann qui avait l'air amusé. Il dit « alors, c'est à jamais ? » Madame pensa que Hermann était beau mais ce n'était pas Caron : ce n'est jamais celui qu'on veut. Elle sortit et signala son départ en faisant claquer la porte. Dans la chambre 13, il y eut un gros éclat de rire.

Madame alla droit vers sa chambre, au rez-de-chaussée, après avoir franchi la porte, entrée interdite. Il lui fallait vite se changer pour aller préparer le dîner. Elle passa devant le cabinet de toilette de Caron, s'arrêta net. Il prenait une douche. Elle ouvrit la porte. Il écarta le rideau. L'eau éclaboussait, giclait sur sa tête. Madame regarda fixement son fils. Caron lui dit « qu'est-ce qui te prend ? »

Elle raccrochera le téléphone dans le salon des décisions, dans sa chambre se séchera les cheveux, s'habillera de sec et prendra le chemin inverse. Caron s'essuyait dans le couloir. Le téléphone sonna. Caron entendit « oui, c'est ta biche », « non rien de grave », « oui, mais dans deux jours seulement, dix-sept d'un coup si tu le souhaites ».

Caron était heureux. Quand sa mère passera devant lui, il lui dira bêtement « merci ». Elle lui répondra « ce soir tu dîneras encore avec nous, présence obligatoire de l'idiote de la 11. Préviens-la. Elle rêve de revenir avec tout le monde. Nous serons au complet, neuf à table. Ce matin, en fait, nous étions sept. Huit, je ne veux pas. » « Tu as de la fièvre ? » dit Caron en posant sa main sur le front de sa mère. Pour ce geste, Madame l'eût embrassé s'il avait été encore un gosse.

25.

Avant-dernier matin. Il n'y a plus de clients à l'hôtel. Le dîner de la veille fut réussi. Samuel avait parlé des vertus aphrodisiaques des truffes, l'Irlandais avait bu à lui seul trois bouteilles de château-palmer 70, le professeur avait fait un véritable séminaire sur le bonheur *suivi* de la musique, *suivi* et pas *sans suite*, personne n'avait compris mais ç'avait été beau. Hermann s'était jeté sur le foie gras comme sur du pâté. Il y avait des chandelles. La nappe brodée de myosotis était belle. Dora portait une robe au décolleté avantageux. Elle rayonnait, trinquait souvent avec l'Irlandais. Marie Karpak avait conversé avec Isabelle. Il avait été question du prix des objets, de la belle vaisselle, des verres et couverts, des tapis de haute laine. À tout, Marie Karpak avait donné un prix, « mais neuf ! » disait-elle à chaque fois. Entre elles deux, Caron s'était tenu bien droit, l'air sérieux. Isabelle lui avait dit « c'est bien le parfum de Minna que vous portez ? » Il y avait eu une brève gêne. Le dessert, pêches pochées à la fine champagne et ses petits fours croustillants, avait fait son effet.

Tout comme la tisane. Chacun avait remis un peu de sucre. Elle était forte, un peu amère, presque trop parfumée.

Ce matin, l'hôtel est vide. Madame et Caron boivent un café, en face à face, à la cuisine. C'est la première fois que ça leur arrive, la première fois depuis longtemps que Madame a Caron pour elle seule. Elle lui dit « je ne t'en veux pas pour le parfum ». Il répond « je t'en veux terriblement ».

Un peu plus tard, Madame lui dit « il y a beaucoup à faire aujourd'hui ». Caron hausse les épaules, « je vais en profiter pour nettoyer les chambres à fond ». Il reprend du café. Madame lui prépare des tartines. Caron ajoute « les sols surtout, sous les lits, il y a de la poussière, cette fois je pourrai faire du bruit ». Rien que d'ordinaire entre eux deux. Pourtant, du regard, Caron interrogeait Madame et Madame, pour un peu plus d'insistance, baisserait volontiers les yeux. « Qu'est-ce qui se passe ? » demande Caron. « Je t'aime », répond Madame.

Madame, dans son bureau, tria les six panières du jour. Dans les affaires de Samuel, en fouillant bien, cousu dans la doublure d'un manteau, elle trouva le magot, des brillants, un petit gousset qu'elle mit en évidence sur son bureau. Le reste, cartes, portefeuille en vieux croco, épingle à cravate, chaussures, vêtements plus ou moins limés, une kipa et un album de photos de femmes, avec des dates sous chaque photo et des noms de lieux. Elle jeta le tout, commença à trier les affaires de Dora, et vite renonça. Le gousset de brillants suffisait.

Au premier étage, le pas de Caron : il allait, venait, revenait, traînant l'aspirateur, ouvrant et fermant les fenêtres, claquant les portes, ou bien était-ce les courants d'air. Dehors, le ciel était légèrement couvert, un soleil pâle inondait la pelouse imbibée de pluie. La haie de troènes était d'un vert sombre, inhabituel. L'obélisque ressemblait à un sabre brandi hors d'un glaive. La mer faisait un bruit plus vaillant que jamais. Madame descendit elle-même les six panières à la cave, jeta leur contenu dans le four, et mit en marche le broyeur de cendres.

Profitant de l'absence de Caron, elle vida ses placards, ses tiroirs, l'armoire de sa chambre. Elle ne tria rien. Il fallait aller vite et finir avant que Caron ne redescende, ne surtout pas s'interroger puisque la décision était prise, puisque son histoire m'avait ni plus ni moins de sens que toutes les autres histoires vécues, frôlées, imaginées. Un peuple l'appelait qu'elle avait aimé, lapidé et choyé. Ainsi revenait-elle au point de départ du désenchantement de sa vie, quand une lassitude de Roger, de ses frasques,

211

de ses moues, de son humour, de son corps et du peu de paroles vraies échangées avec lui, l'avait gagnée. L'hôtel *Bellevue* puis l'hôtel *Styx* : Madame ne voulait plus de sa propre histoire. Elle s'offrirait ce qu'elle avait offert. Le dîner de la veille avait été son dîner d'adieu et elle seule le savait égoïstement, privilège de tenancière. Elle se sentait si peu meurtrière. C'est Caron qu'elle avait choisi pour la conduire à la fin d'une histoire ordinaire que d'autres eussent peut-être trouvée scabreuse.

Elle fit de nombreux allers et retours à la cave, enfournant ses propres affaires, s'interdisant le moindre souvenir attaché à un objet ou à un vêtement. Elle se dit *on travaille avec des ombres, il faut accepter que ça retourne aux ombres*. Elle se moqua d'elle-même, car comment de telles pensées pouvaient-elles l'habiter ? Avait-elle eu de si mauvaises fréquentations ? C'était peut-être plus simple quand elle n'avait que la capacité de s'insurger et pas encore celle de s'interroger. Elle fit le tour du bureau et du salon des décisions. Elle débrancha même le téléphone et le jeta. Elle ne laissa ni un papier ni une épingle, rien pour signaler qui que ce soit, à part sa brosse à dents, le tube dentifrice, un peigne, une jupe, un corsage et une paire de chaussures pour le soir. Sur le lit, une chemise de nuit bien repassée, blanche, seul souvenir du temps où elle était jeune fille.

Un dernier aller et retour à la cave. La marée gagnait déjà par vagues le fond du puits. Elle ouvrit les vannes des bacs à cendres, tout s'engorgea et petit à petit, évacué, on eût dit des sables mouvants, sable gris, sable noir, des êtres, des objets et des vies.

Dans sa chambre elle prépara un sac avec l'argent récupéré, quelques pierres précieuses ou pas, comment savoir ? arrachées à leurs montures, et par-dessus le tas de billets, le gousset de brillants. Elle donnerait le sac à Caron en échange de l'ultime service rendu.

Ils déjeunèrent sans rien se dire que de banal. Madame imaginait l'arrivée de dix-sept nouveaux clients sans personne pour les accueillir. Il eût fallu un autocar pour les mener à bonne destination et le détail avait échappé à Roger. L'affaire Klempe, c'était son affaire et son trouble. Caron alla s'occuper de sa moto. Madame dormit tout l'après-midi.

Au dîner, Caron lui dira « tu as jeté le téléphone ? » Madame posera le sac sur la table de la cuisine, boira devant son fils deux bols d'infusion, lentement, en silence. Puis elle se lèvera, ouvrira le sac, « c'est tout ce que je peux te donner en échange. Pars. Vis. Oublie. Disparais. Moi, c'est fini, et je veux que ce soit toi. Merci Caron ». Elle l'embrassa sur le front et ira se coucher.

26.

Très tôt, le dernier matin. Que sait-on de Caron? Quel fut son sentiment lorsqu'il s'approcha, au milieu de la nuit, du lit de Madame? C'est toujours la troisième partie de la nuit quand on aime. Caron s'était dit qu'il ne fallait pas penser des choses *comme ça*. Un mot de trop et l'histoire perdrait de son charme inquiet, in-quiet, eût écrit le professeur. Caron aussi commençait à se poser trop de questions.

Pour sa mère, comme pour les autres, il avait agi mécaniquement. Il fuirait. Il ne reverrait pas le père. Ses papiers étaient en règle. Il s'était même procuré un passeport au cas où. Et c'était le cas où.

Il garderait, pour lui, le souvenir du poids du corps de sa mère, dans ses bras, quand il était descendu avec elle, à la cave. Il l'avait allongée, couchée, placée, veillant à ce qu'il n'y ait aucun pli à la chemise de nuit, posant à côté d'elle, mains croisées sur la poitrine, les ultimes vêtements de la veille, le peigne, la brosse à dents, le

215

tube dentifrice et surtout le sac avec cet argent, cette fortune dont il ne pourrait jamais évaluer le montant et qui lui aurait porté malheur. Il n'y avait pas de monnaie d'échange pour ce dernier service rendu.

Il avait aussi posé les trousses et les seringues. Tout devait disparaître. L'humanité était en solde et, encore une fois, alors qu'il pleurait, il s'était dit qu'il ne fallait pas penser des choses *comme ça*. Il avait tremblé en appuyant sur le bouton de commande du crématoire. Sa mère, une seconde fois, le rendait à la vie. Il avait bien assez pour fuir, grandir enfin, laisser le père à lui-même et peut-être aller du côté de l'oued d'Aïn-Sefra devant la tombe d'un certain Mahmoud Saadi qui en réalité s'appelait Isabelle Eberhardt.

La réalité ? Caron n'avait-il pas lu, trois jours avant, dans la presse rapportée pour vérifier le bien-fondé de l'affaire Klempe, un article intitulé *partis sans laisser d'adresse* dans lequel il était annoncé en caractères gras, que l'année précédente dix-huit mille personnes avaient disparu dont six mille huit cents seulement avaient été retrouvées ? L'article courait sur plusieurs pages. Il ne l'avait pas lu. Il avait déchiré le journal non sans penser qu'il n'y avait pas qu'un seul hôtel *Styx*.

C'est l'aube. Caron, une dernière fois, fait le tour du premier étage. Les lits sont prêts. Plus aucune trace de rien, ni dans sa chambre ni ailleurs. Muni d'une pioche, sans trop savoir pourquoi, mais il avait besoin de le faire, il y avait songé tant de fois auparavant, il était allé jusqu'à l'obélisque et il avait cassé l'inscription *omnia amor.* La pierre volait en éclats. Il y avait des nuages. La mer grondait. À chaque coup de pioche, il avait eu le sentiment de faire trembler la falaise.

Puis il avait scrupuleusement passé la cave au jet afin, coins et recoins, de ne laisser qu'une ordinaire installation de réduction de déchets. Il pensera alors à Pitou, le nabot, le seul qui lui avait un peu parlé et à sa mère qui l'avait instruit et adulé en silence, le silence de la fin de la troisième partie de la nuit. C'était l'aube et déjà le matin.

Beau mec, harnaché de sacs, l'argent ne prend pas de place, son argent, après avoir fermé la porte de l'hôtel et laissé la clé sur le perron, sous un pot vide, comme on le fait quand on n'a pas peur des voleurs, il chevaucha sa moto et s'élança sur la route sans se retourner.

DU MÊME AUTEUR

Romans

LADY BLACK, 1971, Flammarion.
ÉVOLÈNE, 1972, Flammarion.
LES LOUKOUMS, 1973, Flammarion.
LE CŒUR QUI COGNE, 1974, Flammarion.
KILLER, 1975, Flammarion.
NIAGARAK, 1976, Le Livre de Poche.
LE PETIT GALOPIN DE NOS CORPS, 1977, Laffont.
KURWENAL OU LA PART DES ÊTRES, 1977, Laffont.
JE VIS OÙ JE M'ATTACHE, 1978 (épuisé).
PORTRAIT DE JULIEN DEVANT LA FENÊTRE, 1979, Laffont.
LE TEMPS VOULU, 1979, Flammarion.
LE JARDIN D'ACCLIMATATION, 1980, Flammarion, prix Goncourt
   1980.
BIOGRAPHIE, 1981, Flammarion.
ROMANCES SANS PAROLES, 1982, Flammarion.
PREMIÈRES PAGES, 1983, Flammarion.
L'ESPÉRANCE DE BEAUX VOYAGES ÉTÉ/AUTOMNE, 1984, Flamma-
   rion.
L'ESPÉRANCE DE BEAUX VOYAGES HIVER/PRINTEMPS, 1984, Flamma-
   rion.
LOUISE, 1986, Flammarion.
UNE VIE DE CHAT, 1986, Albin Michel, prix 30 millions d'amis.
FÊTE DES MÈRES, 1987, Albin Michel.
ROMANS, UN ROMAN, 1988, Albin Michel.

Théâtre

THÉÂTRE 1 : Il pleut si on tuait papa-maman ; Dialogue de
   sourdes ; Freaks Society ; Champagne ; Les Valises, 1973,
   Flammarion.
THÉÂTRE 2 : Histoire d'amour ; La Guerre des piscines ; Lucienne
   de Carpentras ; Les Dernières Clientes, 1976, Flammarion.
THÉÂTRE 3 : September Song ; Le Butoir ; Vue imprenable sur
   Paris ; Happy End, 1979, Flammarion.

Pour enfants

PLUM PARADE, OU 24 HEURES DE LA VIE D'UN MINI-CIRQUE, 1973,
   Flammarion.
MON ONCLE EST UN CHAT, 1981, Éditions de l'Amitié.

La composition de ce livre
a été effectuée par Comp'Infor à Saint-Quentin,
l'impression et le brochage ont été effectués
sur presse CAMERON
dans les ateliers de la S.E.P.C. à St-Amand-Montrond (Cher)
pour les Éditions Albin Michel

Achevé d'imprimer en janvier 1989
N° d'édition : 10455. N° d'impression : 2629.
Dépôt légal : janvier 1989.

Imprimé en France